파차마마의
선물

BookSeed

El brujo del viento

© Paloma Sánchez
© Ediciones SM, 2005
Interior Illustrations by Elena Odriozola

파차마마의 선물

팔로마 산체스 지음
유혜경 옮김

책씨
BookSeed

1

인디오의 출현으로 모든 것이 달라졌다. 빵집 주인 푸만추의 말이 옳았다. 이제 곧 우리의 운명을 바꿔 놓을 누군가를 만나게 될 터였다. 그때부터 무슨 일이 벌어질 지 그 누구도 예측하지 못했으나, 사건의 전모는 이랬다.

인디오―그건 몇 주 후에야 알게 되었다―는 한의사 할아버지의 후손으로, 그의 할아버지는 신통한 재주를 몇 가지 가지고 있었고 또 마법사 기질도 약간은 있었다. 그러나 우리에게 일어난 일 모두가 마법이나 신통력과 관계된 것은 아니었다. 그 해엔 아주 많은 일이 일어났는데 사실 마법과는 아무 상관없는 일이었다. 아니 적어도 인디오의 말에 의하면 그랬다. 그런 일이 생겨야 했기에, 아니 그런 일

이 생기도록 우리가 진심으로 원했기 때문에 생겼다는 것
이다.

인디오가 온 것은 2월 중순의 어느 날이었다. 그는 로시
티스 선생님 뒤에 숨어서 교실로 들어왔다. 처음에는 들어
온 줄도 몰랐다.

"여러분들에게 새로 전학 온 친구를 소개하겠어요. 이
름은 호세에요. 호세는 아주 먼데서 왔어요. 지구 반대편에
있는 에콰도르라고 하는 나라에서요. 빨리 여러분들과 친
구가 되었으면 좋겠네요."

인디오가 선생님 뒤에서 모습을 드러낸 것은 그때였다.
머리가 고슴도치처럼 뻣뻣하고 새까만 아이가 빙그레 웃
고 있었다. 이빨 하나는 부러져 있었고, 눈은 까만 아몬드
처럼 생겨서 꼭 중국 사람 같았지만 정말로 눈 하나만큼은
컸다. 그 애가 인디오였다. 키는 작달막해서 우리 반에서
가장 키가 작은 키케보다도 더 작았고, 몸은 또 어찌나 말
랐던지 맞는 옷이 없을 정도였다.

로시티스 선생님은 인디오를 내 옆자리에 앉게 했다. 그
러곤 몇 가지 계산 문제를 내 주었다. 그런데 거의 모든 문
제를 풀지 못한 게 틀림없다. 선생님이 틀린 문제를 고쳐

줄 때마다 조용히 이맛살을 찌푸렸기 때문이다. 그렇다고 야단을 치지도 나쁜 점수를 주지도 않았다.

그 다음에 우리 모두는 받아쓰기 시험을 봤다. 인디오는 어쩌나 굼벵이처럼 글씨를 쓰는지 전부 다 받아쓴다는 것은 불가능했다. 하지만 글씨 하나만큼은 참으로 예쁘게 잘 썼다. 온 정성을 다해 그림을 그리는 것 같기도 했고 헝겊에 수를 놓는 것 같기도 했다. 그때 인디오가 우리 할아버지처럼 옛날 글씨를 완벽하게 서둘지 않고 쓴다는 생각이 들었다.

만물박사네가 인디오를 비웃었다. 라켈과 마르가리타를 만물박사라고 부르는 것은 선생님이 물어 보면 뭐든지 다 대답하기 때문이다. 하지만 이 애들은 다른 아이들의 결점을 알아내거나 우리가 어떤 질문에 대답을 못하면 언제나 비웃었다. 그래서 대충 우리 반 아이들 전부를 다 한 번씩 비웃었다고 보면 된다.

로시티스 선생님은 인디오를 칠판 앞으로 불러냈다. 그러곤 세계 지도를 펼친 다음에 말했다.

"호세야, 너희 나라가 어디 있는지 친구들에게 가르쳐 주렴."

그러자 인디오는 한참을 이리저리 헤매다가 색색별로 표시된 모든 나라들을 뒤지며 에콰도르를 찾기 시작했다. 우리가 어디에 살고 있는지는 다 알고 있지만 지도에서 그곳을 가리킨다는 것은 참으로 어려운 일이다. 마침내 인디오는 에콰도르를 찾아냈고, 발뒤꿈치를 들고 그곳을 가리켜야만 했다.

그때 다시 만물박사네가 웃음을 터뜨렸고, 나는 그 애들한테 종이 뭉친 것을 던졌다. 공교롭게도 내가 던진 것이 마르가리타의 셔츠 속으로 들어가, 이번에는 우리가 만물박사네를 향해 웃음을 터뜨렸다. 마르가리타는 등 쪽으로 들어간 종이 뭉치를 빼내기 위해 몸을 비틀어댔다.

쉬는 시간을 알리는 종이 울렸고, 우리 모두는 복도로 뛰어나갔다. 쉬는 시간은 거룩한 시간이었으므로 우리는 로시티스 선생님에게 단 일 분도 양보할 수 없었다. 나는 책상에서 간식을 꺼내면서 인디오를 쳐다보았다. 인디오는 다른 아이들이 앞 다퉈 교실 밖으로 나가는 동안 놀란 표정을 한 채 멍하니 서 있었다. 우리가 허겁지겁 뛰어나가는 것을 보고 어디선가 불이 났거나 아니면 그 비슷한 일이라도 생겼을 거라고 생각하는 모양이었다. 녀석은 어찌할 바를 몰라 칠판 옆에 꼼짝 않고 서 있었다. 마침내 선생님 목소리가 들렸다.

"쉬는 시간이란다, 호세. 어서 나가서 놀려무나."

인디오는 운동장 벤치에 앉았다. 우리 4학년은 언제나 5학년들과 축구 시합을 했다. 그리고 거의 언제나 우리가 졌다. 그날은 우리 팀 주장인 백발 이네스가 목이 아팠다. 백발 이네스는 우리 학교에서 축구를 최고로 잘하는 여학생이었다.

우리는 이네스를 '백발'이라고 불렀다. 왜냐하면 골문을 향해 슛을 날릴 때 발이 백 개나 되는 것처럼 큰 힘을 쓰기 때문이다. 골이 빗나간 적은 거의 없었다. 골문 앞까지만 가면 백발백중이었다! 다만 흠이 두 가지가 있어서 늘 우리 팀의 애간장을 녹였다. 하나는 언제나 상대팀 골문까지 가는 게 힘겨웠다. 5학년 선수들은 우리보다 몸집이 더 크고, 더 난폭하고, 허풍도 세고, 반칙도 잘했기 때문이다.

이네스의 또 다른 결점은 늘 목이 아프다는 거였다. 그리고 목이 아프면, 이네스의 엄마는 축구를 절대 못하게 했다. 땀을 흘리면 목이 더 아파지기 때문이며, 목이 조금만 아파도 엄마들은 워낙 유난을 떨기 때문이다. 그래서 하필이면 그날 이네스는 축구를 할 수 없었고, 후보 선수 두 명도 감기에 걸렸기 때문에 우리에겐 선수 한 명이 부족했다. 재수가 옴 붙은 거다! 우리는 일제히 호세가 앉아 있는 벤치를 쳐다보았다. 다람쥐가 호세에게 외쳤다.

"야, 너, 인디오! 축구할 줄 아냐?"

인디오를 '인디오'라고 부른 건 처음이었다. 인디오는 정말이지 인디오처럼 생겼다. 게다가 호세가 아닌 다른 이름으로 부를 수밖에 없었던 것이, 호세—호세 카라스코—란 아이가 이미 있었기 때문이다. 같은 팀에서 뛰는 선수가 두 명이나 호세일 수는 없었다. 인디오는 그다지 나쁜 이름도 아니었기에 그 문제는 그렇게 해결되었다.

우리 반 아이들은 거의 다 별명을 가지고 있었다. 별명이 있으면 긍지를 느낄 수 있다. 다른 아이들과 구별되는데다가 개성이 강조되기 때문이다. 물론 별명이 마음에 들 때한에서이지만 말이다. 어떤 아이들은 놀려 줄 생각으로 나쁜 별명을 붙여 주는데 그걸 좋아할 사람은 아무도 없다. 지금은 내 친한 친구들 별명을 말하지 않을 것이다. 내 별명도 말하지 않을 거다. 그건 나중에 인디오랑 그날 어떤 일이 있었는지 먼저 얘기한 다음에 하겠다.

사실 인디오는 자신을 그렇게 불렀다고 해서 화를 내지는 않았다. 우리가 골려 주려고 일부러 그런 것이 아니라 다른 호세랑 구분하기 위해서였으니까. 인디오는 대답 대신 고개를 끄덕였고—축구를 할 줄 안다고—벤치에서 일어나 우리에게 다가왔다. 우리는 키도 작고 비쩍 마른 그에게서 많은 것을 기대하진 않았지만, 또 혹시라도 그가 죽을 쑨다고 해도 다른 방도가 없었다.

"저 골문에 공을 넣어야 해."

다람쥐가 미심쩍은 듯 인디오에게 골문을 가리켰다.

"우리 얼굴을 잘 봐. 우리가 너랑 같은 팀이니까. 헷갈려서 상대팀한테 패스하진 않겠지. 그러진 않겠지?"

인디오는 이번에도 고개를 끄덕였다. 다람쥐의 설명이 끝나자 우리는 경기를 시작했다.

늘 그렇듯이 5학년이 먼저 공격을 시작했고, 그들은 아무 방해도 받지 않고 일사천리로 우리 골문까지 밀고 들어왔다. 우리가 방어를 거의 하지 못한 탓에 그 팀이 혼자 경기를 하고 있다고 해도 과언이 아니었다. 거기서 슛을 날렸다. 그리고 우리 팀 골키퍼인 파라다스를 향해 첫 골을 넣었다.

경기를 시작한 지 일 분 만의 일이었다! 파라다스는 미안하다는 듯 어깨를 으쓱해 보였다. 사실 우리는 전부 2류 선수들이었기 때문에 파라다스에게 뭐라고 나무랄 처지도 못 되었다.

"파라다스, 지금부터 네 이름을 '뱀장어'라고 해야겠다! 뭐든 쏙쏙 잘도 빠져나가니까!"

5학년들이 까르르 웃었다.

골을 먹고 나서 우리가 공을 잡았다. 우리가 거북이라고 부르는 아이가 상대팀 진영으로 들어가려고 했다. 하지만 몸집이 거대한 5학년 선수 세 명이 앞으로 달려가 거북이를 에워싸더니 그에게서 공을 빼앗았다. 그리고 다시 우리 진영으로 밀고 들어왔다. 속수무책이었다! 한 골이 더 들어가려는 순간이었다!

그때 예기치 못했던 일이 발생했다. 평생 한번 일어날까 말까 한 일이었다. 그리고 갑자기 운명이 바뀌었다.

키가 작은 탓에 선수들 틈에서 거의 보이지도 않던 인디오가 폭탄—왜 폭탄이라고 하는지 각자 상상하시라!—이라고 부르는 선수의 가랑이 사이로 빠져나가, 폭탄이 미처 눈치 챌 겨를도 없이 그에게서 공을 가로챈 것이다! 누가

감히 그의 공을 빼앗는다는 것은 상상도 못할 일이라 폭탄
은 순식간에 벌어진 일에 망연자실 서 있었고, 인디오는
그 기회를 놓치지 않고 쏜살같이 상대팀 골문을 향해 뛰어
갔다.

인디오가 공을 가지고 번개처럼 날아가고 있다는 것을
깨달은 순간 우리 모두는 인디오를 방어하기 위해 그의 뒤
를 쫓아 뛰어갔다. 하지만 인디오를 따라잡을 수가 없었
다. 그 누구도 그를 따라잡을 수 없었다. 인디오는 태풍처
럼 달렸고, 5학년 선수들이 길을 가로막으려 하자, 녀석은
그들의 가랑이 사이로 빠져나갔다. 마치 공을 가지고 지그
재그로 달리면서 선수들 사이를 떠다니는 것 같았다. 마치
발에 자석이 붙어서 공이 떨어질 수 없는 것처럼 말이다.
인디오는 뒤로 갔다가 다시 앞으로 달려 나갔다. 아무도
그에게서 공을 빼앗지 못했고 길을 가로막지도 못했다. 막
무가내였다!

인디오는 골문까지 달려갔다. 우리 4학년은 숨을 죽였
다. 아니 더 정확히 말하자면 완전히 숨을 멈추었다. 인디
오는 골키퍼 앞까지 지그재그로 공을 몰았다. 골키퍼는 터
미네이터란 별명의 거구로 몸무게가 아무리 안 나가도 70

킬로그램은 됨직했다. 그는 인디오를 비웃었다.

"야, 병아리! 여기까지 뭘 하려고 오셨나?"

그 순간 인디오가 슛을 날렸다. 마치 발에 다이너마이트가 달렸다가 터진 것처럼 강슛을 날렸다. 백발 이네스가 날리는 슛과 거의 같은 힘으로 슛을 날렸다. 다만 차이점이 있다면 이네스처럼 호들갑을 떨지 않는다는 것이다. 믿어지지 않았다! 골문을 거의 절반이나 차지하는 거구의 터미네이터도 그 골을 막을 수가 없었다.

"고오오오오오올! 골! 골! 골! 골!"

우리는 인디오에게 달려가 그를 끌어안고 번쩍 들어올렸다. 얼마나 가볍던지!

당연히 우리가 2—1로 이겼고, 5학년 선수들은 난생 처음 화가 나서 펄펄 뛰며 인디오를 노려보았다. 아마도 어디서 날아온 개뼈다귀인지 대체 뭐가 어떻게 된 것인지 멍했을 것이다. 그들은 비겁한 패배자들처럼 비겁한 동료들처럼 서로에게 책임을 전가했다. 그날부터 인디오는 백발 이네스와 함께 우리 팀의 최고 주장이 되었다.

"야, 인디오! 에콰도르에서 대체 뭐 하다 온 거야? 하루 종일 축구만 했냐?"

교실로 올라가, 수학 공책을 꺼내면서 내가 물었다. 하지만 인디오는 아무 말도 하지 않았다. 다만 싱긋 웃어 줄 뿐이었다. 웃을 때 그의 부러진 이빨이 보였다.

2

　먹보, 다람쥐, 백발 이네스 그리고 카멜레온은 나와 가장 친한 친구들이다. 내 친구들은 나를 실타래라고 부른다. 물론 이것들은 우리의 본명이 아니라 우리끼리 부르는 별명이었고, 우리들의 성격에 맞춰 붙여진 이름이었다.

　먹보는 하루 종일 군것질을 해서 붙여진 이름이다. 먹보는 언제나 주머니에 빵, 과자, 땅콩, 초콜릿 등을 넣고 다닌다. 먹성이 어찌나 좋은지 늘 배가 고파서 하루 종일 먹고 또 먹는다. 독자 여러분도 이미 상상이 가겠지만, 먹보는 몸이 꼭 고무풍선같이 빵빵해서 축구를 할 때는 도저히 뛸 수가 없다. 그렇게 먹어대지 말라고 우리가 늘 잔소리를 해도 녀석은 안 먹으면 머리가 안 돌아간다고 둘러댄다. 생각하는 것은 오직 먹는 것뿐인데 무슨 생각할 일이 그렇게 많은지 도무지 이해가 가질 않는다.

다람쥐란 이름은 어디든 잘 올라간다고 해서 붙여진 이름이다. 배의 돛대 기둥, 창문, 나무, 밧줄, 산, 바위 등등. 다람쥐에겐 어려운 것도 위험한 것도 없다. 올라가겠다고 마음만 먹으면 어디든지 올라간다. 하루 종일 몸의 균형을 잡는 연습만 한다. 다람쥐는 커서 어른이 되면 산에서 길 잃은 사람들을 구조하는 일을 하고 싶고, 높이가 6천 미터가 넘는 높은 산을 오르고 싶다고 한다. 그 중에서 제일 하고 싶은 일은 사람들을 구조하는 일이다. 또 그린피스(핵실험, 포경 반대, 환경 보호를 주장하는 국제단체—역주) 단원이 되고 싶어한다. 그린피스는 훌륭한 환경보호단체이기 때문이다. 다람쥐는 아마도 환경을 오염시키는 배나, 고래를 잡는 배에도 쉽게 오를 수 있을 것이다.

카멜레온은 아구스틴의 별명이다. 카멜레온이란 이름은 설명하기가 더 어려운 이름이다. 카멜레온이 어떤 동물인지는 굳이 설명할 필요가 없을 것이다. 적에게 들키지 않기 위해 몸의 색깔을 바꿔 변장을 하는 동물이다. 우리의 카멜레온은 색깔을 바꾸거나 뭐 그런 일은 하지 않는다. 하지만 자신이 원하면 언제든지 남이 눈치 채지 못하게 빠져나가는 재주가 있다. 그러니까 어떤 곳에 있어도 남의 주의를 끈다거나 들키는 일이 없으며, 사람들은 카멜레온이 거기 있다는 것을 알아차리지 못한다. 이것이 진짜 카멜레온의 재주가 아니고 뭐겠는가!

우리는 녀석이 어떻게 그렇게 하는지 전혀 알지 못하지만 아무튼 녀석의 신통한 재주는 인정하지 않을 수 없다. 그래서 우리는 녀석을 카멜레온이라고 부른다. 형사가 될 수 있는 가장 이상적인 타입이다. 하지만 카멜레온에게는 한 가지 단점이 있었다. 가끔 낙제하는 과목이 있기 때문에 스스로 머리가 별로 좋지 않다고 생각하는 것이다. 그러니까 바보 콤플렉스를 가지고 있다고나 할까.

백발 이네스는 앞서 설명했으니 긴 말이 필요 없다. 이네스는 백 개의 발에서 나오는 것 같은 힘으로 슛을 날린다. 그래서 백발이라 부른다. 우리의 최고 주장이며 유일한 여학생인 것 외에도 이네스는 자주 목이 아프며, 또 5학년들의 거친 방어벽을 뚫고 상대팀 골문까지 가는 것을 너무 힘들어 한다. 또 한 가지는 열여섯 살 먹은 언니가 있는데 거의 원수처럼 지낸다. 바로 위에 열여섯 살 먹은 언니가 있다는 것은 정말이지 심각한 문제다. 게다가 이네스의 언니는 엄마가 축구를 하지 말라고 했을 때 이네스가 축구를 하면 언제나 고자질을 한다. 그럼 이네스의 입장이 아주 난처해진다.

이제 내 차례가 된 것 같다. 내 친구들은 나를 실타래라고 부른다. 내가 정말 실타래거나 실타래처럼 엉켜서가 아니라 내가 실타래처럼 이야기 보따리를 잘 풀어내기 때문이다. 나는 이야기를 잘 꾸며낸다. 필름을 가지고 있다는 말과도 통한다.

우리 할아버지는 머릿속에 한 가지 이야기가 떠오르면 그 이야기를 묶어 두어야 하는데 묶어 두는 방법은 써 두는 수밖에 없다고 말했다. 써 두지 않으면 잊어버리거나 다른 생각들 틈에 섞여 사라진다는 것이다. 그래서 나는 언제나 작은 공책을 들고 다니면서 생각이 떠오르는 대로 적어 두는 습관이 있다.

하지만 인디오가 왔을 때 나는 제법 심각한 문제에 시달리고 있었다. 적어 둘 만한 이야기가 아무 것도 없다는 거였다. 내 머리는 텅 비어 있었고, 내 공책은 단 한 글자도 적어 놓은 것없이 그냥 누렇게 변하기 시작했다. 이네스는 나의 영감이 바닥났기 때문이라고 했다. 다람쥐는 뮤즈의 여신이 내게서 떠났기 때문이라고 믿었다. 하지만 먹보는 그런 설명에 맞장구를 치지 않았다. 그는 혹시 영양부족일지도 모른다고 했다. 내가 충분히 먹질 않아서 뇌에 당분이 부족하다는 거였다.

먹보, 이네스, 다람쥐, 카멜레온 그리고 나는 축구를 한 날부터 인디오랑 친구가 되었다. 그리고 그때부터 그 누구도 말릴 수 없는 똘똘 뭉친 한 팀이 되었다. 축구뿐만 아니라 다른 많은 것들도 같이하는 팀이.

바로 그날까지 우리의 생활은 단조롭기 그지없었다. 상황 파악이 잘 안 되는 분들의 이해를 돕자면, 우리의 생활이 숨이 막힐 만큼 지루했다는 뜻이다. 재미있는 일도 없었고 그래서 할 얘기도 없었다. 우리에게 일어날 수 있는 가장 재미있는 일이라면 깐깐한 음악 선생님인 코르네타 선생님이 이야기를 해 주거나 꼬인 가발을 쓰고 왔거나 얼룩이 잔뜩 묻은 넥타이를 매고 오는 정도였다. 그 장면을 상상해 보시라!

하지만 우리들의 이런 지루한 상황은 인디오의 출현으로 바뀌어 갔다. 인디오는 나름 용감한 면을 가지고 있었다. 사람을 웃긴다거나 다정다감한 성격은 아니었고, 오히려 소심하고 말이 없는 편이었지만 상당히 신비한 면을 가지고 있는 녀석이었다. 우리가 심심하다고 투덜거리면, 인디오는 모험은 역사와 마찬가지로 우리 주변에 있는 거라고, 다만 우리가 찾아내서 볼 줄만 알면 된다고, 눈을 뜨기만 하면 된다고 말했다.

인디오는 꼭 자기처럼 이상야릇한 말만 했다. 그리고 우리들은 그 말을 숨 죽이며 듣고 있었다. 사실 처음에는 무슨 말을 하고 있는지 이해가 되지 않았다.

3

만물박사네는 사사건건 인디오에게 시비를 걸었다. 그
애들은 인디오를 병아리니 뭐니 하면서 놀려댔다. 그럴 때
마다 우리들은 인디오 편을 들었다. 인디오가 좋은 친구일
뿐만 아니라 우리 축구팀의 남자 주장이 되었기 때문이다.
그리고 이제 겨우 5학년을 이기고 있는 판에 그 멍청한 만
물박사네 때문에 인디오가 기가 죽어 축구 시합을 망치게
내버려 둘 수는 없는 노릇이었다.

인디오는 로시티스 선생님이 질문을 할 때마다 거의 대
답을 하지 못했다. 그러면 만물박사네는 잊지 않고 인디오
를 비웃거나 책상 너머로 놀려댔다. 물론 우리는 로시티스
선생님이 보지 않을 때를 골라 만물박사네한테 이것저것

물건을 던졌다. 그러던 어느 날 나는 인디오에게 진지한 표정으로 말했다.

"인디오, 구구단을 외우지 않으면 우리랑 같이 5학년으로 못 올라 갈지도 몰라. 그럼 내년에 4학년이 되는 지금의 3학년 팀하고 싸워야 하잖아."

인디오는 이 말을 들은 뒤로 정말 열심히 공부를 했다. 우리는 매일 오후에 수업이 끝나면 도서관에 남아 인디오가 가장 어려워하는 구구단 공부를 했고, 다람쥐와 먹보는 영어 공부를 했다.

시간이 흐르면서 우리는 인디오가 특별한 아이라는 것을 눈치 채기 시작했다. 인디오가 축구팀에 들어온 날로부터 단 한번도 시합에 진 적이 없거니와, 녀석이 결코 화를 내는 것을 본 적도 없다. 만물박사네가 아무리 비웃어도 그 애들에게조차 화를 내지 않았다. 다른 아이들이 무슨 짓을 해도 무슨 말을 해도 상관없어 하는 것 같았다. 내가 그 애들에게 화를 내거나 복수를 하라고 종용했지만, 인디오는 아니라는 말만 되풀이했다.

어느 날 로시티스 선생님이 국어 시험을 내 주었다. 로시티스란 이름은 별명이 아니라 선생님의 성이란 걸 밝혀

둔다. 선생님의 본명은 클리니아 아르메니아 로시티스 피에르나비에하다.

"소설에 어울리는 이름이야. 안 그래, 실타래?"

어느 날 인디오가 내게 말했다.

"한번 써 보지 그래?"

그때는 인디오의 말을 별로 대수롭지 않게 여겼다. 하지만 그날 밤 불을 켜 놓고 공책을 손에 든 채 침대에 누워 있을 때 좋은 생각이라는걸 알았다. 먼저 제목을 적었다.

'이야기를 하기 위한 이름'

그리고 제목 밑에 이렇게 적었다.

'클리니아 아르메니아 로시티스 피에르나비에하'

그날부터 내 공책은 인디오가 거의 매일 내게 들려준 이상한 이야기들로 가득 찼다. 전에는 한번도 생각해 본 적 없는 것들이었지만 늘 주변에 있었던 그런 이야기들이었다. 예를 들면 우리 선생님의 이름 같은 것이다.

쉽지도 않고 어렵지도 않았다. 로시티스 선생님이 그날 우리에게 내 준 국어 시험 말이다. 언제나처럼 그렇고 그랬다. 아는 것도 있고 모르는 것도 있고. 밖에는 어마어마하게 날씨가 추웠다. 간밤에는 태풍이 불었다. 바다는 노발대발하여 집채만 한 파도가 일었고, 폭풍이 몰려와 바다를 괴물로 만들어 놓았다. 파도가 시커멓게 몰려왔다. 하늘 역시 시커먼 색이었다. 바람은 들판과 지붕으로 미친 듯이 불어와 거치적거리는 것은 닥치는 대로 쓸어갔다. 안테나, 나무, 휴지통, 전봇대, 아줌마 치마, 빨랫줄에 걸린 이불보 등등.

갈매기들조차 미친 새들처럼 허공에서 급회전을 하며 날아갔다. 교실에선 우우 하는 소리가 들렸지만 그건 늑대 울음소리가 아니라 바람소리였다. 우리는 창문 두드리는 소리, 안으로 밀고 들어와 뭐든 쓸어가고 싶어하듯 두드리는 바람소리를 듣고 있었다.

불현듯 내 눈이 인디오에게 쏠렸다. 그는 최면에 걸린 사람처럼 뚫어져라 창문을 바라보고 있었다. 인디오가 창문에 어찌나 정신을 팔고 있는지 선생님이 자기 책상에 시험지를 놓는 것도 모르고 있었다. 나는 반쯤 눈을 감고 이맛살을 찌푸린 채 창문에 정신을 팔고 있는 인디오가 너무도 신비하게 보였다. 그의 머리카락은 뻣뻣하게 곤두서 있었다. 너무도 뻣뻣하게 곤두서 있어서 머리에 공이라도 맞으면 정전기가 일어 공이 튕겨져 나올 것만 같았다. 마치 눈에 보이지 않는 실이 팽팽하게 머리카락을 잡아당기고 있는 것만 같았다.

우리 모두는 시험지를 들여다보았다. 선생님은 우리를 쳐다보았다. 나는 인디오를 바라보았고, 인디오는 창문을 바라보았다. 그런데 갑자기 믿을 수 없는 일이 일어났다.

인디오가 뚫어지게 쳐다보고 있던 창문이 별안간 벌컥 열리더니 강한 돌풍이 교실 안으로 한바탕 몰려 들어왔다. 바람에 우리의 머리카락이 정신없이 휘날렸다. 책상 위에 있던 시험지도 휘날렸고, 벽에 붙어 있던 지도는 찢어져 깃발처럼 펄럭거렸다. 또 우리들이 인체의 뼈를 공부할 때 쓰는 교실 구석에 처박혀 있던 해골 골격도 휘청거렸고, 하마터면 그것이 페르난도와 클라라의 머리 위로 쓰러질 뻔하기도 했다.

그뿐만이 아니었다. 그 이상의 엄청난 일이 일어났다. 교실 안을 온통 쑥대밭으로 만든 바람이 갑자기 회오리바람으로 돌변하여 빙글빙글 휘감겼다. 회오리바람은 마치 살아있는 생물처럼 만물박사네가 앉아 있는 책상을 향해 돌진했다. 급기야는 그 애들 주변을 돌기 시작하더니 굉장한 소리를 내면서 만물박사네가 빠져나올 수 없도록 그 애들을 휘감았다. 만물박사네는 두 손으로 귀를 막으면서 비명을 지르고 고함을 질러댔다.

우리는 그때 난리가 난 것 같은 시끌벅적한 소리를 듣고 있었다. 처음에는 도무지 믿어지지가 않았다. 마치 알 수 없는 휘파람소리 같았다. 다음 순간 그 소리는 소곤거림으로 바뀌더니 마침내 말소리로 바뀌었다. 바람이 우리에게 말을 하고 있다니! 우리는 영문도 모른 채 놀란 표정으로 서로를 마주보았다. 그런데 대체 바람은 무슨 말을 하고 있는 것일까? 상상하기 힘들겠지만 그건 다름 아닌 시험문제의 정답이었다! 그제서야 우리는 바람이 불러 주는 정답을 재빨리 받아 적기 시작했다. 로시티스 선생님은 만물박사네를 회오리바람에서 끌어내느라 정신이 없어 아무 것도 모르는 것 같았다.

"누가 좀 저 창문을 닫아 주지 않겠니?"

우리는 못 들은 척했다.

"누가 저 창문 좀 닫으라니까!"

로시티스 선생님이 소리쳤다.

하지만 그 누구도 시험지에서 고개를 들지 않았다. 바람이 정답을 알려 준다는 것은 평생 두 번도 없는 절호의 기

회였고, 창문을 닫아 그 기회를 놓친다는 것은 있을 수 없는 일이었기 때문이다. 잠시 후에 로시티스 선생님이 만물박사네를 끌어내자 바람은 들어왔던 창문으로 빠져나갔다. 우리는 이미 정답을 다 쓴 상태였다!

선생님은 아직도 정신을 차리지 못했다. 그래서 반장인 차로에게 교장 선생님을 모셔 오라고 했다. 만물박사네는 서로를 부둥켜안고 울음을 그칠 줄 몰랐다. 거의 제정신이 아니었다! 그 애들은 이미 바람이 멈추었는데도 울고불고 난리를 쳤고, 로시티스 선생님은 창문을 닫은 뒤에도 혹시라도 또 바람 때문에 창문이 열리지 않을까 하여 덧창까지 내려닫았다.

우리는 키득거리며 매우 만족한 웃음을 터뜨리기 시작했다. 만물박사네가 눈물 콧물을 흘리는 동안 우리는 깔깔대고 웃기 시작했다. 더군다나 그 애들의 긴 머리카락이 바람 때문에 서로 엉키고 엉켜 두 사람의 머리를 도저히 떼어 놓을 수가 없었다. 서로의 몸이 붙은 샴쌍둥이처럼.

교장 선생님이 와서 사건의 해결책을 모색했다.

"방법이 없군요. 두 사람을 떼어 놓으려면 머리카락을 자르는 수밖에."

교장 선생님이 로시티스 선생님한테 말했다.

만물박사네는 이 말을 듣고 비명을 지르기 시작했다. 우리 반에서 가장 예쁘다고 스스로 생각하고 있었으니 그럴 만도 했다. 우리 반이 생긴 이래 처음으로 다른 아이들이 아닌 그 애들이 꼴사나운 상황에 처한 순간이었다.

눈이 사팔뜨기라서 안대와 안경을 쓰고 다니는 베르타가 늘 자신을 '해적', '사팔' 등등이라고 놀렸던 이 만물박사네를 비웃기 시작했다. 너무 뚱뚱해서 '기름통'이라고 놀림을 당했던 먹보도 웃기 시작했다. 그렘리도 웃었다. 그렘리는 태어날 때부터 이마 위 정수리에 흰머리가 나서 만물박사네는 '더러운 빗자루'라고 놀려댔다. 만물박사네의 놀림을 당했던 모든 아이들이 그날은 마음껏 비웃어댔다.

며칠 뒤 로시티스 선생님은 채점한 시험지를 나눠 주었다. 우리 모두가 90점 아니면 100점을 받았기 때문에 선생님은 놀라지 않을 수 없었다. 그날 시험을 치르지 못했던 만물박사네만 빼고 말이다. 로시티스 선생님은 다음날 만물박사네가 재시험을 치르게 했는데, 그 애들은 너무 긴장한 탓에 100점이 아닌 겨우 50점을 받았다. 그건 반에서 가장 낮은 점수였고, 그 애들 평생을 통틀어 가장 낮은 점수였다. 하지만 그 애들에게는 마땅한 벌이었다. 이제 그 누구도 비웃지 못하리라!

그 후로 며칠 동안 우리의 화제는 오직 한 가지였다. 그 일에 대해 저마다 의견이 분분했다. 가장 믿지 못하는 아이들은 바람으로 인해 창문이 저절로 열렸으며, 창문은 분명 잘못 닫혀 있었을 것이며, 만물박사네의 일은 우연의 일치라서 누구한테나 일어날 수 있다고 주장했다. 바람이 우리에게 정답을 가르쳐 준 것에 대해서는 교실에서 누군가 재미 삼아 혼란한 틈을 타 책을 보고 정답을 가르쳐 주었을 거라고 생각하는 아이들도 있었다.

하지만 나는 그렇게 생각하지 않았다. 나는 인디오의 얼굴을 보았다. 곧추선 그의 목덜미와 정전기가 인 듯 꼿꼿이 선 머리카락을 보았다.

나는 친구들에게 미심쩍었던 말을 꺼냈다.

"인디오야! 분명해! 그런 일이 일어날 걸 기다리고 있었던 사람처럼 창문을 뚫어지게 쳐다보고 있었어. 머리카락은 곧두서 있었고."

"머리카락은 언제나 곧두서 있어."

먹보가 아이스크림을 핥아먹으면서 말했다.

"그 어느 때보다도 더 곤두서 있었다니까. 또 만물박사 네한테 일어난 일도 좀 생각해 봐. 때가 되면 벌을 받을 거라고 말한 게 누군데. 이런 일이 일어날 줄 미리 알고 있었던 것처럼 말이야."

"그럼 혹시 인디오가 마법사?"

집으로 돌아가는 길에 카멜레온이 말했다.

"아니면 마법사 비슷한 거라도. 마술을 부릴 수 있는 사람 말이야. 인디오가 태어난 고향에선 어릴 때부터 마법을 가르치는지도 모르잖아."

먹보가 말했다. 하지만 먹보의 말은 설득력이 없었다.

먹보, 다람쥐, 이네스, 카멜레온 그리고 나는 인디오한테 직접 물어 보기로 했다.

"인디오, 너 그거 어떻게 한 거야?"

그러나 인디오는 빙긋 웃으며 어깨만 으쓱할 뿐이었다.

우리는 더 물어 볼 용기가 나질 않았다. 인디오가 자기 얘기를 털어놓은 것은 우리와 한참 더 친해진 다음이었다.

인디오는 곱셈을 조금씩 아주 조금씩 배워 나갔다. 그는 언제나 큰 소리로 구구단을 외웠다. 나는 설마 바람에게 가르쳐 주기 위해, 그래서 나중에라도 필요하면 바람이 가르쳐 줄 수 있도록 그렇게 큰 소리로 외치는 건 아닌가 하는 생각을 했다.

인디오는 선생님도 놀랄 정도로 완벽하게 산수를 깨우쳐 늘 정확한 답을 쓸 줄 알게 되었다. 간혹 반에서 일 등을 하는 적도 있었다. 그러자 만물박사네가 얼마나 귀찮게 굴었는지 모른다!

하지만 여전히 인디오의 글씨 쓰는 속도는 문제였다. 내가 글씨를 조금만 더 빨리 쓰라고 해도 인디오는 애써 빨리 쓰려고 들지 않았다.

"빨리 쓰려고 하면 글씨가 엉망이 돼."

"그렇지만 그렇게 천천히 쓰면 로시티스 선생님이 불러 주는 걸 다 못 받아 적어. 그럼 나중에 또 혼나잖아."

내가 그 어떤 말을 해도 인디오는 꿈쩍도 하지 않았다. 한 글자 한 글자를 마치 예술 작품을 그리듯 그렇게 적었다. 인디오는 받아쓰기를 다 받아 적은 적이 결코 한 번도 없었다.

4

우리는 대부분 방과후에 썰물이 되어 물이 빠져나가면 축구 연습을 하러 해변으로 갔다. 썰물 때에는 해변이 아주 많이 넓어지기 때문이다. 우리 팀 전원이 다 갈 때도 있고, 우리끼리만 갈 때도 있었다. 우리끼리란 먹보, 다람쥐, 카멜레온, 백발 이네스, 인디오 그리고 나, 실타래다.

인디오는 바다를 볼 때마다 늘 넋이 나간 사람처럼 정신을 빼앗겼다. 몇 시간이고 지치지 않고 바다만 바라볼 정도였다. 녀석은 우리 동네로 이사 오기 전까지 바다를 본 적이 없다고 했다. 물론 대서양을 건널 때 비행기에서 내려다보았겠지만, 평생 해변에 가 본 적이 없다고 했다. 모래나 바닷물을 만져 본 적도 바다 냄새를 맡아 본 적도, 그리고 바다 색깔이 변하는 것을 느껴 본 적도 없다. 특히 바다에서 인디오에게 가장 인상 깊었던 것은 우리가 평소에 신경조차 쓰지 않은 것이다. 바로 바다가 내는 소리였다.

인디오는 눈을 감고 말했다.

"잘 들어 봐! 꼭 용이 숨을 쉬는 것 같아!"

그러곤 떠들지 말고 잘 들어 보라고 했다. 우리는 눈을 감았다. 그리고 기다렸다. 그랬더니 정말 그 소리가 들렸다.

"맞아! 어마어마하게 큰 용이 숨을 쉬는 것 같아!"

인디오가 오기 전에는 바다가 소리를 낸다는 것은 꿈에도 생각 못 한 일이다.

"잘 들어 봐! 꼬리가 움직였어. 너희들은 못 들었니?"

먹보는 지나치게 상상의 나래를 펼치고 있었다.

이따금 용이 화가 나서 거칠게 숨을 내쉬는 것만 같았다. 그런 소리는 파도가 많이 일어 바다가 요동칠 때 주로 들렸다. 용이 고르게 숨을 내쉬며 편안하게 잠을 자는 것 같은 때도 있었다. 그건 파도가 가라앉아 바다가 조용할 때였다.

어느 날 인디오는 내게 용처럼 숨 쉬는 바다를 공책에 적어 보라고 했다. 그날 밤 나는 공책에 이렇게 적었다.

'바다는 숨을 쉬는 용이다.'

"바다보다 더 근사한 건 없어!"

우리가 해변으로 내려갈 때마다 인디오는 말했다.

"나는 너희 나라에 있는 활화산이 더 보고 싶어. 그리고 화산 꼭대기에 있는 분화구도 보고 싶고."

전 세계에서 가장 높은 화산의 분화구까지 기어오르는 생각에 잠긴 채 다람쥐가 말했다.

사실 인디오의 나라에는 곳곳에 화산이 있었는데, 그 중에는 분화가 진행중인 화산도 있었다.

어느 날 오후, 해변에서 축구 연습을 마쳤을 때 인디오가 어릴 적 이야기를 들려주었다.

인디오네 집은 구아구아 피친차라고 하는 화산 기슭에 있었다.

"진짜 화산 밑에서 살았어?"

우리는 깜짝 놀라 물었다.

인디오는 늘 그렇듯이 그렇다며 고개를 끄덕였다.

"네 살 때 할아버지가 나를 데리고 구아구아 피친차에 올라가셨어. 구아구아 피친차는 우리가 살던 키토라고 하는 도시에서 가까운 화산 이름이야. 할아버지는 우리 동네

한의사셨어. 입이 아주 무거운 분이셨는데 사람들과 동물들을 고치는 신통력을 갖고 계셨어. 할아버지와 나는 분화구 가장자리에 앉아서 바나나와 귤을 먹었어. 분화구는 엄청나게 큰 구멍이라 꼭 계곡 같이 생겼는데, 연기도 안 보이고 용암도 불도 안 보였어. 그 화산은 몇 년 동안 불이 꺼진 채 잠을 자고 있었거든. 할아버지는 아주 조심스럽게 나를 분화구로 내려주셨어. 분화구 안의 내리막길이 경사가 심했거든. 바닥은 몹시 미끄러웠고 돌멩이가 많았어. 우리 머리 위로 계속해서 돌멩이가 떨어져 내렸지. 분화구 안으로 들어가자 할아버지가 흙 한 줌을 집어서 내 머리에 갖다 대시는 거야. 거의 까만색에 가까운 흙이었어. 할아버지는 원주민들이 쓰는 '케추아' 말로 뭐라고 하시면서 이날을 절대 잊지 말라고 하셨어. 나한테 아주 중요한 일이 일어날 거라고 하시면서 말이야. 그런데 그때 하신 말씀이 전혀 기억나질 않아."

"바로 그날 밤 집으로 돌아와서 우리 식구 모두가 자고 있을 때 엄청난 폭발 소리가 들렸어. 정말로 어마어마한 소리였어. 우리 모두는 무슨 일인가 하고 밖으로 뛰어나가 산 쪽을 봤는데, 거대한 구름이 보이는 거야. 그제야 화산이 폭발했다는 걸 알았지. 몇 시간이 지나자 산비탈로 펄펄 끓는 시뻘건 용암이 흘러내리기 시작했어. 산은 온통 불에 타고 있었고, 도시에는 화산재가 떨어져 내렸지. 사람들은 공포에 떨면서 도시를 빠져나가느라 난리도 아니었어. 그런데 우리 할아버지는 그냥 거기 있자고 하시는 거야. 화산이 우리를 지켜줄 거라고 하시면서. 엄마 아빠는 할아버지와 실랑이를 하셨지만, 아무래도 할아버지를 설득할 방법이 없었어. 하는 수 없이 우리 식구는 할아버지의 말씀대로 그대로 거기 남게 됐어."

"며칠 동안 화산재가 내린 탓에 마치 눈이 내린 것처럼 세상이 온통 화산재로 뒤덮여 있었어. 길이고 지붕이고 자동차고 나무고 할 것 없이 말이야. 그리고 남아 있는 사람들에게도 물론이고. 며칠 동안 마을 사람들은 재를 마시지 않으려고 헝겊으로 코와 입을 막고 다녀야 했어. 용암은 시간이 지날수록 더욱 빠른 속도로 산 밑까지 흘러내려와서는 훨씬 멀리까지 흘러내려가는 거야. 그 바람에 한 마을이 통째로 용암에 뒤덮어 버렸어. 그곳의 모든 집들이 완전히 용암 속에 묻히고 만 거야."

"그래서 그 마을 사람들은 어떻게 됐는데? 사람들도 용암 속에 묻혔어?"

"아니. 용암이 그 마을을 덮치기 한두 시간 전에 사람들
이 트럭을 몰고 와서 주민들을 강제로 싣고 떠났어. 그렇지
만 집들은 싣고 갈 수가 없으니까 용암에 묻혀서 용암이 식
은 다음엔 돌로 변한 거지. 그곳 강물 속엔 돌로 변한 마을
이 묻혀 있어. 집들이랑 가구랑 자동차랑 또 길 잃은 동물
들까지 말이야. 화산이 폭발한 그날 밤에 할아버지는, '화
산이 왜 터졌는지 아느냐? 네가 그 분화구에 들어온 걸 눈
치 챘기 때문이란다. 파차마마가 자기 에너지를 너한테 전
해 주고 싶어서야. 넌 파차마마가 선택한 아이다. 그래서
이 할애비는 화산이 우리한테 해를 끼치지 않는다는 걸 진
작 알고 있었단다' 라고 하셨어."

"파차마마가 누군데?"

우리들이 한 목소리로 물었다.

"파차마마는 땅의 어머니야."

인디오가 대답했다.

"할아버지는 또 땅의 어머니가 나한테 선물을 줄 거라
고 하셨어. 그날부터 나는 바람이 불 때면 바람이 하는 말
을 알아듣게 됐어. 나 역시 바람에게 말을 할 수 있게 됐

고.”

  인디오가 말을 마치자, 우리 모두는 잠시 생각에 잠겼다. 그렇다면 교실에서 만물박사네한테 생겼던 일은 인디오의 그 신비한 능력과 관계가 있었던 것이다! 그러니까 인디오는 그런 식의 신통력을 가지고 있었던 것이다. 바람과 말을 하고, 바람이 불면 바람이 하는 말을 알아들을 수 있는 능력 말이다.

  인디오는 지구의 반대편에서 온 바람의 마법사였다! 인디오의 나라는 분명 이상한 나라일 것이다! 화산의 마음에 드는 사람이 생기면 화산이 폭발하고, 또 화산은 그 사람에게 바람과 대화를 나눌 수 있는 능력을 선물로 주는 나라!

  그날 밤 나는 인디오가 들려준 이야기를 공책에 써 내려갔다.

5

바다 말고 인디오가 또 좋아하는 것은 손으로 만드는 것
이다. 어느 날 우리가 인디오네 집에 갔을 때, 인디오는 자
신이 직접 칼로 만든 나무 인형들을 보여주었다. 얼마나 예
쁘게 만들었던지! 그는 에콰도르에 살 때, 그런 인형들을
시장에 내다 팔아 엄마를 도와드렸다고 한다. 간혹은 버스
정류장에서 구두 닦는 일도 했으며, 학교에 다닐 형편이 안
될 때도 있었다고 한다.

어느 토요일, 동네 광장을 지나면서 우리는 도기 공방
하나가 새로 문을 연 것을 보았다. 문에 붙은 포스터에는
인디오가 즐겨 쓰는 것과 같은 고서체로 '도기 공방'이라
고 쓰여 있었다.

인디오의 여동생인 로시타는 물레가 돌아가는 광경에 홀려 성큼 가게 안으로 발을 들여놓았다. 가게 안에는 한 젊은 여자가 물레가 돌아가는 장단에 맞춰 그릇을 만들고 있었다. 물레가 돌아갈 때마다 점토가 오르락내리락 했다. 로시타는 거기에 홀려 있었고, 그 애 뒤를 따라 들어간 우리들 역시 빠져들기는 마찬가지였다.

"어서 와 꼬마야. 이리 가까이 와서 봐도 돼."

물레에 앉아 있던 여자가 로시타를 쳐다보며 다정하게 말을 건넸다.

로시타가 가까이 다가갔다.

여자들은 하나같이 로시타를 예뻐했다. 아무래도 로시타에게는 모성 본능을 자극하는 뭔가가 있는 것 같았다.

로시타는 너무도 깜찍한 세 살짜리 소녀다. 얼굴은 어찌나 동그랗던지 나는 사람 얼굴이 그렇게 동그란 것은 처음 봤다. 토실토실하고 발그스름한 볼에 머리는 두 갈래로 땋았는데, 마치 두 개의 가녀린 목처럼 하늘을 향해 삐죽 솟아 있었다. 혹시 로시타의 이름을 우리가 짓는다면, '달덩이'라고 지었을 것이다.

로시타의 한 손에는 언제나 고무젖꼭지가 들려 있었지

만, 그것을 입에 물고 있는 것을 한 번도 본 적이 없다. 방금 지난 갓난아기 때의 추억처럼, 아직은 쓰레기통에 버리기가 아쉬운 물건처럼 그저 그것을 들고 다니는 것 같았다.

인디오의 엄마가 일하러 가고 로시타를 봐 줄 사람이 아무도 없을 때 그 아이를 보는 일은 언제나 인디오의 몫이었다. 처음에 우리는 못마땅하게 생각했다.

우리 나이 또래에 꼬맹이를 달고 다니는 걸 좋아할 아이들은 아무도 없다. 일일이 봐 줘야 하고 또 늘 안 되는 걸 하겠다고 떼를 쓰기 때문에 여간 성가신 일이 아니다. 더구나 우리가 뭘 하는지 무슨 말을 하는지 모조리 보고 듣고 하는 탓에 비밀 유지에도 지장이 많다. 그래서 우리가 골치 아픈 일에 휩싸이는 것은 다 이런 꼬맹이들 덕분이다.

그러나 인디오가 처음으로 로시타를 데리고 와서 다른 방법이 없었다고 했던 날만 빼놓고, 우리는 이내 로시타가 골칫덩이 아이가 아니라는 것을 알았다. 로시타는 우리뿐 아니라 그 누구하고도 결코 말을 하지 않았다. 오직 인디오만 예외였는데 그것도 다른 사람이 듣지 못하도록 언제나 귓속말을 했다.

또한 로시타는 변덕을 부리지도 않았고, 아이답지 않게

안 되는 걸 하겠다고 떼를 쓰지도 않았다. 가령 우리가 축구 연습을 할 때 자기도 축구를 하겠다고 고집을 부리지 않았다. 그랬다면 정말 피곤했을 것이다. 그냥 얌전하게 경기를 지켜보았고, 우리가 늦게까지 연습을 해도 절대 투정을 부리지 않았다.

물레에 앉아 있던 여자는 물레가 돌아가는 동안 로시타가 점토를 만져 볼 수 있게 해 주었다.

로시타가 그 여자와 노는 동안, 우리들은 뿔뿔이 가게 안으로 흩어져 진열장에 진열된 작은 인형들, 물병, 재떨이, 메달 따위를 구경했다. 인디오는 그런 것들에 정신이 팔린 나머지 자신도 모르게 선반에 있는 물건들을 꺼내 들여다보고 있었다. 선반마다 '제발 만지지 마세요'라고 쓴 종이가 붙어 있는 걸 못 본 모양이다.

우리들이 구경하는 데 정신을 팔고 있는 동안, 한 남자가 가게 안쪽에서 나와 우리들을 향해 고함을 질렀다.

"당장 내려놓지 못해! 만지지 말라는 거 안 보여!"

그러곤 여자를 쳐다보았다. 여자는 남자의 목소리가 들리자 얼른 로시타를 바닥에 내려놓았다.

"이게 다 뭐 하는 짓이야! 애들이 떼거리로 가게 안을 몰려다니면서 코를 킁킁대고 있는데 그냥 내버려두다니, 아만다!"

"그냥 구경하려고 들어온 거예요. 물레 돌아가는 걸 재미있어 하길래. 꼬마 손님들이잖아요, 안 그래요? 어린애들이에요, 헤르만 씨……"

아만다는 애써 둘러댔다.

"그래, 애들이니까 그렇지! 애들이 무슨 물건을 산다고 그래! 애들은 그저 만지고 만지다가 결국 물건이나 깬단 말이야! 알아 듣겠어! 애들은 우리 손님이 아니야! 애들은 구멍가게나 장난감 가게 손님이란 말이야!"

그러자 인디오는 예의 그 신비한 표정을 지으며 손에 들고 있던 메달을 아만다에게 보이며 물었다.

"이거 얼마예요?"

"1유로 50센트야."

인디오는 주머니를 뒤져 동전들을 꺼내기 시작했다. 그러곤 동전을 계산대 위에 올려놓고 1유로 50센트가 될 때까지 세었다. 돈은 충분했다. 인디오는 여자에게 돈을 주고 메달을 로시타에게 걸어 주었다.

"감사합니다, 누나. 그리고 죄송합니다. 가자, 로시타.

늦겠어."

고래고래 소리를 지르던 헤르만이라는 남자는 아무 말도 하지 않았고, 아만다는 미소를 지으며 인디오에게 윙크를 했다. 고맙다는 표시였다.

가게에서 나온 우리는 웃어대기 시작했다.

"인디오, 너 정말 대단해! 그 괴물 같은 아저씨를 한 방에 날려 버리다니!"

인디오도 웃었다. 그리고 말했다.

"무엇보다 자존심을 지켜야 하는 거야. 대신 이번주 용돈이 다 날아갔는걸!"

우리는 그 불친절한 가게에 다시 갈 생각이 없었지만, 어느 날 그 가게 앞을 지나가야만 했을 때, 아만다가 우리를 보고 불렀다.

"얘들아! 누나한테 인사도 안 하니? 지금은 아무도 없으니까 들어와도 괜찮아."

그러니까 지난번 그 성질 고약한 아저씨가 없다는 뜻이었다.

"걱정할 것 없어. 헤르만 씨는 오후에는 잘 안 오셔. 어서 들어와서 마음껏 구경하렴."

아만다는 정말 친절했다. 이번에도 로시타에게 물레를 가지고 놀게 해 주었다. 그리고 우리에게도 다른 것들을 구경시켜 주었다. 손가락 사이로 촉촉한 점토가 돌아가는 느낌이 얼마나 신기하던지! 아만다는 아주 능숙한 솜씨로 예쁜 그릇들을 만들었다. 그런 다음 그것들을 예쁘게 꾸며 가마에 넣었다. 그릇들이 다 구워지면 쇼윈도나 진열장에 놓고 팔았다.

성질 고약한 헤르만 아저씨는 다람쥐의 짐작과는 달리 아만다의 남편이 아니라 그 가게 주인이었다. 아만다는 물건을 만들고 아저씨는 다른 동네에 가져다가 파는 일을 맡고 있었다.

"로시타, 이거 가져."

아만다는 로시타에게 점토 한 덩이를 주었다. 로시타는 그 점토로 공을 만들었는데 이틀쯤 지나자 그 공은 완전히 굳어서 딱딱해졌다. 그때부터 로시타는 어딜 가든 그 점토 공을 가지고 다녔다. 고무젖꼭지는 더 이상 보이지 않았다. 이제는 점토 공이 로시타의 보물이었다.

6

미스 히메네스 할머니네는 아무도 없이 할머니 두 분만 산다. 우리 모두는 그 두 분을 잘 알고 있었지만 인디오가 이사를 와서 도와주어야 한다고 하기 전까지는 그 할머니들 집에 들어가 본 적이 없었다. 우리는 미스 히메네스 할머니 자매를 도와주는 과정에서 상상할 수 없는 모험을 하게 되었다.

미스 히메네스 할머니네는 인디오네 가족이 살고 있는 집의 주인이다. 인디오의 엄마는 이 할머니들을 돌봐주고 있었다―두 분의 할머니가 필요로 하는 모든 일을 말이다! 집안 청소를 하고, 시장을 보고……. 그 대가로 바로 옆에 붙은 집에서 집세를 거의 안내고 살았다. 이따금 인디오의 엄마가 사무실 청소 일을 하러 가거나 토요일마다 손수 만든 벽걸이 융단이나 옷을 팔러 시장에 가면, 히메네스 할머니들이 로시타를 봐 주었다.

그렇긴 해도 로시타를 보는 일은 대부분 인디오의 몫이었다. 인디오의 할아버지는 이제 너무 늙어서 앞이 거의 보이지 않았기 때문에 로시타를 볼 수가 없었다.

미스 히메네스 할머니네는 괴팍하기로 소문이 나 있었다. 두 분은 고양이 털 알레르기가 있는데도 고양이를 열다섯 마리나 키우고 있었다. 그래서 온몸에 두드러기가 나거나 간지러울 때가 자주 있었고, 심하게 기침을 하는 바람에 숨을 제대로 쉬지도 못할 때가 많았다. 그럴 때면 소손 페노소 의사 선생님을 불렀다.

"선생님! 보시다시피 이러다가 그냥 죽겠어요! 무슨 죄를 지었다고 이렇게 죽어야 하나요!"

소손 선생님은 두 할머니를 진정시켰다.

"진정하세요, 그만한 일로 돌아가시다니요."

소손 선생님은 알레르기가 있는데도 고양이를 열다섯 마리나 키운다고 야단을 쳤다.

"고양이들을 누구 줘 버리세요. 고양이 알레르기가 있

으면 고양이를 키우지 말아야죠. 매일 편찮으신 거 보면 모르시겠어요?"

소손 선생님은 어떻게든 고양이를 내다버리도록 설득하려고 했다.

"고양이 집을 만들어서 정원에서 키우시면 집안에 들어와 온통 털을 날리지는 않을 것 아닙니까?"

하지만 두 할머니는 막무가내였다.

"그런 말씀 마세요, 선생님. 고양이들이 없었다면 우린 벌써 죽었을 거예요!"

언니인 아수세나 할머니가 말했다.

"정원에 두면 겨울에 고양이들이 얼어 죽어요. 더구나 얘들은 난로 옆에서 자고 우리 침대에 올라와 자는 게 습관이 된 걸요."

"고양이들을 내다버릴 수는 없답니다, 선생님. 고양이들은 우리 보디가드예요. 보시다시피 나이 든 여자 둘만 사는데 아무래도 우리를 보호해 줄 동물이 있어야지요."

소손 페노소 선생님은 우리가 봐도 대단한 인내심을 발휘하면서 대답했다.

"고양이는 호랑이가 아니에요. 그러니 누굴 보호하겠습

니까. 그런 면에선 차라리 개가 더 낫지요. 게다가 열다섯 마리까지는 필요가 없잖아요? 한 마리면 충분해요!"

"선생님, 애들은 뭐든 같이 하게끔 길들여져 있어요. 뿔뿔이 흩어 놓으면 길들인 효과가 없어질걸요."

두 할머니는 막무가내로 개를 키우면 고양이보다 더 간지럽다고 주장했다. 더구나 언니인 여든아홉 살의 아수세나 할머니는 네 살 때 개한테 물린 적이 있어서 그 후로 지금까지 개에 대한 인상을 지우지 못했다고 한다. 소손 선생님은 아무리 설득을 해도 소용이 없자, 하는 수없이 알레르기 증세를 약화시키는 약을 처방해 주었다.

히메네스 할머니들의 또 다른 괴팍한 면을 볼 수 있는 곳은 정원이었다. 정원에는 한 종류의 화초밖에 없었다. 온갖 형태의 선인장들이 크기 별로 다 있었던 것이다. 동그란 선인장, 긴 선인장, 작은 선인장, 큰 선인장, 걸어두는 선인장, 축 늘어진 선인장, 기어올라가는 덩굴 선인장, 꽃이 핀 선인장, 꽃이 안 핀 선인장…… 정원에 선인장이 너무 많아서 발 디딜 틈이 없을 정도였다. 그 정원에 들어서면 마치 지뢰가 잔뜩 깔린 벌판에 들어서는 것만 같았다.

몇 년 전만 해도 히메네스 할머니네 정원은 페튜니아,

참깨, 들국화, 철쭉, 수국, 자스민 등이 가득한 여느 집 정원과 다름없는 평범한 정원이었다. 그런데 히메네스 할머니네 집 옆에는 정육점 주인인 시릴로가 살고 있었다. 이 시릴로는 개를 한 마리 키우고 있었는데, 이 개가 담을 넘어 히메네스 할머니네 정원으로 들어가 그 당시에 있던 고양이들을 쫓아다니는 게 취미였다. (아마도 지금 키우는 고양이들의 할아버지 고양이쯤 될 거다.) 그뿐 아니라 정원을 장식하고 있던 아름다운 꽃들을 마구 짓밟고 다녔다.

할머니 두 분은 그 길로 정육점 주인 시릴로에게 가서 그 개가 담을 넘어오지 않게 해달라고 부탁했지만 시릴로는 무식한 사람답게 히메네스 할머니들의 말에 아랑곳도 하지 않았다. 이런 이유로 할머니들은 시릴로네 개를 골탕 먹이기로 작정을 했던 것이다.

어느 여름날 시릴로가 며칠 동안 휴가를 떠나자, 히메네스 할머니네는 정원에 있던 화초들을 모두 뽑아 버리고 선인장만 심기로 했다. 이렇게 해서 티폰—시릴로네 개 이름이다—은 담을 넘어와 정원을 짓밟을 때마다 선인장 가시에 찔릴 수밖에 없는 운명에 놓이게 되었다. 그리고 실제로 그렇게 되었다.

티폰은 휴가에서 돌아오자마자 기다렸다는 듯이 히메네스 할머니네 정원으로 뛰어 들어갔다. 아뿔사 놀랍게도 발밑에 닿는 것은 화사한 제라늄도 아니고 보드랍고 비단결 같은 철쭉도 아니었다. 티폰이 덮친 것은 더도 덜도 아닌 가시투성이의 둥근 선인장들이었다.

녀석은 꼬리를 뒷다리 사이에 파묻은 채 아픈 몸을 이끌고 집으로 돌아가야 했다. 노발대발한 시릴로는 수의사를 불러 가엾은 티폰의 다리에서 가시를 뽑아 주지 않을 수 없었다.

"그 마귀할멈들 때문에 큰 돈 썼습니다!"

히메네스 할머니들과 티폰 사이에 있었던 일이 궁금해 정육점으로 한달음에 달려온 주부 손님들에게 시릴로가 이렇게 소리쳤다. 그때부터 그는 히메네스 할머니들한테 절대 말을 걸지 않았고, 히메네스 할머니들도 절대 그 정육점에서 고기를 사지 않았다.

티폰은 늙어서 죽었다. 하지만 미스 히메네스 할머니들은 혹시라도 누가 집에 들어올지 모른다는 강박관념에 휩싸여 여전히 정원에 선인장만을 키웠다. 간혹 호기심 많은 사람들이 왜 그렇게 선인장이 많으냐고 물으면, 두 할머니는 선인장이 '자신들의 보디가드'라고 대답했다. 가시투성이 선인장 위에 떨어질게 뻔하니 아무도 담을 넘을 생각을 못 할 거라고 말이다.

사실 미스 히메네스 할머니네 집으로 들어가는 것은 그다지 어려운 일이 아니다. 대문에서 현관까지 선인장이 없는 좁다란 길이 준비되어 있었기 때문이다. 문제는 담장이 아니라 대문으로도 뛰어넘을 수 있다는 것이다. 하지만 두 할머니는 거기까지는 생각을 하지 못했고, 오로지 고양이와 선인장의 보호를 받고 있다고 느끼는 것 같았다.

…… 예기치 않은 일이 일어나기 전까지는 ……

7

어느 날 오후 학교 수업을 마치고 우리는 카스트로에서 축구를 하고 있었다. 바로 그때 인디오가 허겁지겁 뛰어왔다. 카스트로는 경사가 가파른 해변 꼭대기에 있는 평지로, 쓰레기 더미가 쌓여 있는 곳이다. 먹보, 다람쥐, 백발 이네스, 카멜레온 그리고 내가 좋아하는 우리들만의 아지트였다. 지금은 인디오도 우리의 일원 자격으로 온 것이다.

인디오는 제대로 따라오지 못하는 로시타의 손을 잡아 끌면서 헐레벌떡 가파른 언덕을 뛰어 올라왔다. 녀석이 어찌나 숨을 헐떡거리는지 말을 걸 수가 없었다. 우리는 인디오가 숨을 좀 가라앉힐 때까지 그를 돌 위에 앉게 하고 기다렸다. 이윽고 숨이 가라앉자 인디오는 놀라운 소식을 전했다.

"미스 히메네스 할머니들 집에 …… 도…둑…이 ……
들…었…어."

우리 모두는 입을 다물지 못했다.

"뭘 훔쳐 갔는데?"

우리들은 한 입이 되어 외쳤다.

"엔틱 보석인 것 같아. 할머니들의 어머니…… 그 이전
에 할머니들의 할머니 보석이었대. 비싼 건 아니지만 대대
로 내려오는 거라서 할머니들한테는 엄청 소중한 거래."

"가엾은 할머니들! 도둑들이 또 얼마나 신경 쓰이시겠
어!"

이네스가 안타까워했다.

"아무래도 우리가 나서야겠어."

인디오가 몹시 걱정스런 표정으로 말했다.

하지만 뭘 어떻게 해야 할 지 우리들은 아무 생각도 떠
오르질 않았다.

"우리가 뭘 할 수 있을까?"

"글쎄, 일단 할머니들 집에 가서 조사를 좀 해 보고, 뭔
가 이상한 구석이 없는지를 봐야겠지. 누구 본 사람은 없는

지 두 분 할머니께 여쭤 보고, 동네 사람들한테도 물어 보고 말이야. 카멜레온, 너희 아빠가 경찰이니까 뭔가 단서를 갖고 계실지도 몰라."

실제로 카멜레온의 아빠는 경찰이었다. 카멜레온은 어려서부터 자신도 경찰이나 형사가 되겠다고 말하곤 했다. 하지만 지금은 생각이 바뀌었다.

"일요일에 일하는 것도 싫고 밤에 일하는 것도 싫어요."

카멜레온의 아빠가 커서 경찰이 되겠느냐고 물으면 카멜레온은 이렇게 대답하곤 했다.

하지만 그것은 핑계였다. 카멜레온의 진짜 속마음은 어떤 사건을 해결할 만큼 자신의 머리가 좋지 않다고 생각했다. 이따금 국어와 수학에서 낙제를 했는데, 그것이 자신감을 잃게 된 계기가 되었다. 그는 스스로 실패했다고 생각했으며 너무 둔하다고 생각했다.

그럼에도 불구하고 카멜레온은 본인의 생각과는 상관없이 분명 경찰이나 형사가 될 수 있는 훌륭한 자질을 가지고 있었다. 어디에서건 남의 눈에 띄지 않고 빠져나갈 수 있는 엄청난 재주를 말이다. 사람들 눈에 띄지 않고 그들을 보거나 그들이 하는 말을 들을 듣는 것, 그것은 아무나 가질 수 있는 재주가 아니었다.

카멜레온은 경찰이 하는 모든 일에 흥미를 잃고 있었다. 그것은 분명했다. 그럼에도 인디오는 마치 친할머니 일인 양 우리가 미스 히메네스 할머니들을 위해 뭔가를 해야 한다고 계속 고집을 부렸다. 어찌나 고집이 센지 결국 카멜레온을 설득하고 말았다.

"좋아."

카멜레온이 체념의 한숨을 내쉬며 대답했다.

"방법은 잘 모르지만, 어떻게든 손을 써 보자."

우리는 일단 카멜레온의 지시에 따라 미스 히메네스 할머니네 집으로 몰려갔다. 할머니네 정원 가운데 난 길에서 벗어나지 않도록 조심하고 또 조심하면서 그 위험한 정원을 건너갔다. 발을 헛디뎌 병원에 실려가는 불상사를 막기 위해서.

"선인장으로 가득 찬 정원은 정말 좋은 소설감이야."

인디오가 내 귀에 대고 속삭였다. 그날 밤 나는 공책에 이렇게 적었다.

'보디가드용 선인장이 우글우글한 정원'

불그레한 볼에 너무 뚱뚱해서 살이 뒤룩뒤룩한 아수세

나 할머니와 너무 말라서 해골같이 창백한 비올레타 할머니는 "아이고" 하는 탄식 소리를 번갈아 내면서 우리들을 맞이했다. 할머니들은 우리를 좁은 거실에 앉게 하고는 아몬드 케이크와 코코넛을 주었는데, 이로써 두 할머니는 먹보의 존경을 한 몸에 받게 되었다. 먹보는 이러한 수사 과정에서 그처럼 맛있는 걸 먹게 될 줄은 꿈에도 생각지 못했던 것이다.

두 할머니는 도둑맞은 일로 만나는 사람마다 하소연을 했기 때문에 우리가 하는 그 어떤 질문도 마다하지 않고 꼬박꼬박 대답해 주었다. 카멜레온은 진짜 경찰이나 형사처럼 두 분의 말을 모조리 기록했다. 미스 히메네스 할머니들은 카멜레온을 철썩 같이 믿었다.

"두 분은 도둑이 들던 날 밤 아무 소리도 듣지 못하셨습니까?"

카멜레온은 진짜 경찰이 심문하는 것같이 질문을 했다.

"아니, 그건 경찰에 이미 얘기했어. 아수세나 언니가 코를 심하게 골아서 코고는 소리밖에 못 들었다고."

"왜 그리 교양이 없느냐, 비올레타! 누가 그런 얘기를 듣고 싶다던? 게다가 내가 무슨 코를 곤다고 그래. 바로 네가 숨 쉬는 소리를 들은 거겠지! 아무 소리도 못 들었다면, 그건 내가 코를 골아서가 아니라 네 콧김 소리 때문에 그런 거라고."

미스 히메네스 할머니들의 대답은 대충 이랬다. 카멜레온이 질문할 때마다 두 분은 사사건건 실랑이를 벌였다.

한 가지는 분명했다. 집안에서도 집밖에서도 소리를 들은 사람도 누군가를 본 사람도 없다는 거. 다만 도둑이 들었다는 것을 안 것은 그 다음날 아침 두 분이 아침 식사를 하러 일층으로 내려왔을 때 부엌 창문이 깨져 있는 것을 확인하면서였다. 싱크대와 부엌 바닥에 깨진 유리가 흩어져 있었다.

"너무 놀라서 죽을 뻔했단다!"

비올레타 할머니가 말했다.

"난 동생한테, '비올레타, 간밤에 누가 여길 들어왔나 봐'라고 말했지. 그러자 비올레타가 빗자루를 집어 들길래 난 라몬을 집어 들었어. 그러곤 온 집안을 샅샅이 뒤졌지."

"라몬이 뭔데요?"

카멜레온이 물었다.

"라몬은 제일 사나운 고양이야. 혹시 도둑과 맞닥뜨릴

지 몰라서 그런 거지. 보디가드가 필요하니까!"

"혹시나 해서 침실로 가서 장롱 꼭대기에 올려놓은 보석함을 꺼내 봤더니 그게 글쎄 텅 비었지 뭐니."

비올레타 할머니가 말했다.

"우리가 자는 동안 도둑들이 우리 침실에 들어왔던 거야! 세상에 우리가 자고 있는 침실에 말이야. 그 위험했던 순간을 생각만 하면 지금도 아찔해."

"그래서 소손 페노소 선생님을 불러서 진정제를 먹었단다. 안 그럴 수가 없었어."

경찰의 아들답게 눈치가 백단인 카멜레온이 물었다.

"집안을 한번 둘러보고 가야겠어. 도둑들이 뭔가 흔적을 남겼을지도 모르니까 너희들은 절대 아무 것도 만지지 말아야 해."

히메네스 할머니들은 우리를 데리고 집안 구석구석을 보여 주었다. 우리가 한 가지 흔적을 발견한 것은 침실에서였다.

"이 빨간 가루를 잘 봐."

카멜레온이 말했다.

바로 장롱 옆 카펫에 도둑이 흘린 것으로 보이는 빨간

가루 같은 것이 떨어져 있었다. 카멜레온은 히메네스 할머니에게 냉동식품 보관용 비닐봉지를 갖다 달래서 그 봉지에 빨간 가루를 집어넣었다.

그런 다음 우리는 아주 조심스럽게 정원으로 나갔다. 아니나 다를까 부엌 창문 바로 아래에 있는 선인장들이 짓밟혀 있었다.

"이쪽으로 들어간 놈은 분명 발목에 선인장 가시가 잔뜩 박혔을 거야."

카멜레온이 말했다. 그러자 우리 모두는 감탄의 눈길과 함께 고개를 끄덕였다. 미처 거기까진 아무도 생각하지 못했기 때문이다. 정말이지 카멜레온은 진짜 형사 같았다!

일이 끝나자 우리는 미스 히메네스 할머니들에게 작별인사를 했다. 두 할머니는 사건이 해결되지 않은 위험스런 상황에 두 분만 덩그마니 놓여진다는 것에 몹시 불안해했다.

"고양이도 선인장도 도둑이 들어오는 것을 막지 못했어."

아수세나 할머니가 말했다.

"이 고양이들도 늙어가나 봐. 봐라, 야옹 소리도 안 내잖니!"

이것도 할머니들한테는 걱정스런 일이었다. 그때 인디오의 머릿속에서 한 가지 생각이 떠올랐다.

"두 분이 괜찮으시다면, 오늘밤 제가 여기서 잘게요. 저는 밤 귀가 밝아서 바스락 소리에도 잠을 잘 깨거든요. 자다가 혹시라도 이상한 소리가 들리면 재빨리 카멜레온 아빠를 부르러 가겠어요. 카멜레온 아빠는 경찰이시니까요."

이 말에 감동한 할머니들은 눈물을 글썽이며 인디오의 갈색 머리에 감사의 키스를 해 주었다. 그러곤 그날 밤 할머니네 집에 남아 경비를 서도 좋다고 허락했다.

"너는 참 멋진 아이야! 너희 어머니께 전화해서 오늘 여기서 잔다고 말씀드려야겠다."

"그럼 난 손님방에 침대를 준비해야겠어."

비올레타 할머니가 말했다.

두 할머니는 몸을 날리면서 갔다. 한 분은 인디오의 침대를 준비하러 또 한 분은 인디오의 엄마에게 알리기 위해.

8

특별히 거절할 이유가 없는 인디오의 엄마는 인디오가
두 노인을 돕는 것이 당연하다고 말했다. 그래서 인디오는
그날 밤 히메네스 할머니네 집에 머물렀다. 그리고 그 다음
날 밤과 또 그 다음날 밤과 그 다음날 밤에도 할머니들 집
에서 잤다. 히메네스 할머니들은 다시금 두 분만 있지 않아
도 되었고, 인디오는 두 분 할머니와 지내는 것에 점점 익
숙해져 갔다.

이렇게 해서 오후에 학교 수업이 모두 끝나면, 그리고
그맘때가 비가 많이 오는 장마철이라 축구를 할 수도 없고,
또 마땅히 다른 할 일도 없었던 우리는 모두 히메네스 할머
니네 집으로 몰려가 숙제를 하면서 잠깐씩 시간을 보냈다.

할머니들은 매일 우리에게 맛있는 간식을 만들어 주었다. 손수 만든 초콜릿 케이크, 도넛, 생크림 케이크, 머핀 따위와 따끈한 코코아 등등을. 먹보는 매일 새로운 간식을 먹게 되자 며칠이고 자신이 대신 보초를 설 테니 인디오는 조금 쉬는 것이 어떻겠느냐고 제안했다.

"그건 꿈도 꾸지 마, 먹보. 넌 노상 먹는 생각만 하는데 이런 상황에서 먹는 생각만 할 수는 없어."

히메네스 할머니들은 인도 주사위놀이를 좋아해서 이따금 간식을 먹고 숙제를 다 하면 우리와 함께 주사위놀이를 했다. 두 분은 어린애들처럼 늘 다투었다. 말의 색깔 때문에 다투고, 누가 먼저 던지는지 때문에 다투고, 가끔 속임수를 쓰기도 하므로 체스판의 눈금 때문에 다투었다. 두 분은 노란 말은 재수가 좋고 파란 말은 재수가 없다고 믿고 있었다. 히메네스 할머니들의 신임이 두터운 인디오가 제안을 했다.

"노란 말은 재수가 좋고 파란 말은 재수가 없으니까, 빨간 말과 초록 말로 하시는 게 좋겠어요. 빨강과 초록은 중간색이라 재수가 좋지도 나쁘지도 않잖아요. 그럼 두 분이 똑같은 조건으로 놀이를 하시는 거죠."

할머니들은 인디오의 제안이 썩 마음에 들었다.

"어쩜 이렇게 머리가 좋을까, 우리 호시토!"

두 분은 인디오를 호시토라고 불렀다.

그때부터 두 분은 다시 다투는 일이 없었다. 다만 아수세나 할머니가 빨간 말을 가지고 두 번 연속 이기기 전까지는 말이다. 비올레타 할머니는 빨간 말이 아무래도 수상하다고 못마땅해 했다.

도둑이 들고 나서 닷새 동안 우리는 이렇게 오후 시간을 보냈다. 인도 주사위놀이를 하거나 카드놀이를 하면서, 꿈의 간식을 먹으면서 또 열다섯 마리의 고양이를 어깨 위에 혹은 무릎 위에 올려놓고 지내면서 말이다. 녀석들에겐 우리가 베개보다 더 편안한 듯했다.

너무나도 흥겨운 시간을 보낸 덕분에 우리는 아주 중요한 사실을 잊고 있었다. 새로 주어진 형사의 임무 말이다. 그러니까 도둑이니 증거니 그 밖의 모든 것을 까맣게 잊고 있었던 것이다. 미스 히메네스 할머니들 역시 서서히 그 일을 잊어버렸다. 가끔씩 노곤한 탄식을 내뱉긴 해도 지금은 한결 편안해 했다.

"언니, 엄마 반지 기억나? 아주 예쁜 파란색 돌이 박힌 그 반지 말이야. 지금 그 반지는 어디 있을까?"

"비올레타, 카르멘의 성녀가 그려진 금메달 생각나니? 어머니가 처음 영세 받으셨을 때부터 줄곧 목걸이에 걸고 다니시던 것 말이야. 지금 그게 누구 목에 걸려 있는지 가서 좀 알아 봐라!"

"자수정 팔찌는? 할머니가 젊으셨을 때 헝가리의 어느 왕자가 선물했다는 거 말이야. 잘하면 할머니가 헝가리의 왕비가 되실 뻔했는데 아쉽게 됐지!"

하지만 그런 사소한 향수를 제외하면 히메네스 할머니들은 도둑맞았을 때 느꼈던 공포와 기절할 뻔했던 일을 모두 잊고 있었다. 그리고 우리는 수사 일을 까맣게 잊고 있었다. 어쨌든 우리는 영화나 소설에 등장하여 온갖 모험을 겪는 그런 아이들이 아니라 평범한 보통 아이들이 아닌가!

그러나 목요일이 되자 인디오는 다시금 예의 그 신비한 표정을 지으며 히메네스 할머니네 집에 도착했다. 그는 초를 사러 문구점에 갔다가 아만다의 가게에 들러 점토를 사왔다. 아만다는 로시타와 인디오에게 도기 인형을 만들도록 점토를 주었다. 그리고 인형을 다 만들면 도기 가마에 넣어 구워 주겠다고 약속을 했다고 한다.

인디오는 흠뻑 젖은 몸으로 돌아왔다. 밖엔 비가 그칠 줄 몰랐는데 우산을 가지고 가지 않았던 모양이다. 인디오를 보자 미스 히메네스 할머니들은 얼른 달려가 수건과 드라이기를 가져왔다. 그러나 수건과 드라이기로는 인디오의 푹 젖은 옷을 말리기란 역부족이었다. 하는 수없이 입고 있던 옷을 모두 벗기고 비올레타 할머니의 커다란 스웨터를 입혀 주었다. 인디오가 괜찮다고 아무리 사양을 해도 소용이 없었다.

"폐렴에 걸리면 어쩌려고 그래. 그럼 너희 어머니가 우리한테 뭐라고 하시겠어."

"저런 딱하기도. 호시토, 옷이 마를 때까지만 이 스웨터를 입고 있거라. 네 친구들 빼놓곤 볼 사람도 없잖니. 저 아이들은 네 친구들인데 설마 이 옷 좀 입고 있기로서니 놀리기야 할라고. 안 그래? 쓸데없는 걸 가지고 그렇게 부끄러워하는 건 좋지 않단다, 얘야."

우리들은 우스꽝스러운 인디오의 모습을 보자 그만 까르르 웃음을 터트리고 말았다.

그러나 인디오가 어찌나 우리들을 뚫어져라 쳐다보는지 우리는 금방 조용해졌다. 히메네스 할머니들이 거실을 나가자마자, 인디오가 낮은 소리로 말하기 시작했다.

"수사를 계속해야 해. 정신을 딴 데 팔면 할머니들을 도울 수가 없어. 아무래도 며칠 내로 도둑이 다시 올 것 같아."

"말도 안 돼, 인디오. 일주일 전에 물건을 훔친 집에 위험을 무릅쓰고 다시 올 사람이 어딨어. 이미 그때 물건을 다 훔쳐 갔는데 뭘 또 훔칠 게 있다고?"

카멜레온이 말했다. 우리 모두는 그의 생각에 동의하고 있었다. 도둑이 히메네스 할머니네 집에 다시 올 가능성은 없어 보였다.

"그렇지만 만약에 도둑이 훔칠 게 더 남았다고 생각한다면 말이야, 그때 가져가지 못했던 아주 값진 물건이 더 있다고 생각한다면, 다시 돌아오지 않을까?"

"그럴 수도 있겠네. 위험하지 않다고 생각한다면……."

다람쥐가 말했다.

"그렇지만 이번에는 그럴 리가 없어. 히메네스 할머니들은 더 이상 값나가는 게 없잖아."

백발 이네스가 거들었다.

그러나 인디오는 그렇지 않다고 했다.

"하지만 생각해 봐, 만약 도둑이 히메네스 할머니네가 값진 물건을 숨겨 놓고 있다고 생각하고 다시 와서 훔쳐야 겠다고 결심한다면 어쩔래."

"어디까지 상상의 나래를 펼 건데, 인디오?"

카멜레온이 조바심을 내며 물었다. 그는 인디오가 생각하고 있는 것을 전혀 알지 못했다.

인디오는 사건에 긴장감을 더 불어넣으려는 듯 잠시 생각에 잠겼다가 다시 말했다.

"한 용의자에게 함정을 파두었어. 미심쩍은 자가 한 명 있어. 그래서 히메네스 할머니네 집에 감춰 놓은 보석이 더 있다는 걸 그 자가 믿게 만들었어. 훔쳐 간 게 전부가 아니라고. 더구나 남아 있는 보석은 훨씬 더 비싼 거라고 말이야. 내가 생각한 대로 그 사람이 도둑이라면, 남은 보석을 훔쳐 일을 마무리하고 싶어할 거야."

"지금 누구 얘길 하는 건데, 인디오?"

우리들이 인디오에게 물었다.

그러나 그 순간 히메네스 할머니들이 돌아왔고, 인디오는 다시 입을 다물어야 했다. 가엾은 노인들이 우리의 수사를 걱정하게 하는 것은 바람직한 일이 아니었다. 도둑이 다

72

시 올 수도 있다는 것을 알게 하는 것은 더더욱 바람직한 일이 아니었다. 할머니들은 더 이상 공포를 견디지 못하고 죽을 게 분명했다!

인디오는 자신은 숙제를 해야 하니, 나머지 우리가 히메네스 할머니들과 주사위놀이를 하라고 했다.

비록 열심히 숙제를 하고 있는 것 같았지만 사실 인디오는 숙제를 하고 있지 않았다. 우리 모두를 위한 행동 계획을 짜고 있었다. 히메네스 할머니들 앞에서는 이야기를 할 수가 없었기 때문이다.

시간이 늦어지자 우리는 다음날 만나기로 하고 작별 인사를 했다. 그리고 인디오는 카멜레온에게 다가가 접은 종이 한 장을 내밀었다.

"내일은 밤에 만나자. 엄마 아빠가 시내에 볼 일이 있어 나시거든."

인디오가 말했다. 그리고 더 이상 말하지 않았다.

9

밖이 너무 어두워 인디오가 써 준 것을 읽을 수가 없었
다. 그래서 우리는 동네 광장으로 가야 했다. 거긴 가로등
이 밝게 비추고 있어서 인디오의 메시지를 읽을 수가 있었
다. 인디오는 우리의 계획에 '공격 작전'이란 제목을 붙여
놓았다.

　　내일 밤 허메네스 할머니네 집에서 보초를 설 계
획이야. 다들 할머니네 집에서 잘 거라고 부모님께
미리 말씀드리고 올 것. 이유는 내가 갈 수가 없어서
라고 해, 그래야 꼬치꼬치 캐묻지 않으실 테니까.
　　이네스 : 언니 휴대폰을 꼭 가져올 것.

카멜레온 : 아빠 휴대폰 번호를 정확히 적어 오고, 랜턴 하나 가져올 것.

다람쥐와 먹보와 실타래 : 밖에서 보초 설 경우를 대비해 외투를 준비해 올 것.

인디오

"그런데 용의자가 누구인지는 안 적혀 있네!"

우리 모두는 핵심이 빠진 종이 쪽지에 실망했다.

"아무튼 인디오를 믿어야지. 누군지 안다고 하는 거 보면, 의심갈 만한 것을 봤거나 얘기를 들었을 거야."

카멜레온이 약간 못미더운 표정으로 말했다.

그 다음날은 금요일이라 히메네스 할머니네 집에서 자는 것에 대해 모두가 무사히 허락을 받았다. 그리고 저마다 인디오가 부탁한 것을 열심히 챙겼다.

이네스는 언니의 휴대폰을 가져왔다. 나중에 들은 얘기로는 이네스의 언니가 언제나 휴대폰을 들고 다니는 바람에 결코 쉬운 일은 아니었다고 한다. 심지어 샤워를 할 때에도 세면대 위에 올려놓았고, 하루 종일 친구들과 문자 메시지를 주고받는다는 거였다.

그런데 그날 오후 군인인 파키토가 이네스의 언니를 만나러 왔다. 그녀는 파키토라면 사족을 못 썼다. 파키토는 자원해서 군대에 입대했는데 휴가를 나온 것이다. 언니는 파키토에게 홀린 나머지 휴대폰을 침대 위에 놓아두었다는 것조차 잊어버렸고, 그 틈을 이용해 이네스는 슬쩍 언니의 휴대폰을 챙겼다.

이네스는 서둘러 휴대폰을 끈 다음 할머니네 집에 갈 때 가져갈 잠옷을 넣은 가방에 숨겨 두었다. 혹시라도 언니의 친구들이 '내일 학교 갈 때 무슨 옷을 입을 거니?' 아니면 '손톱은 무슨 색 매니큐어를 칠할 거니?' 따위의 쓸데없는 걸 묻기 위해 전화를 걸어온다면 인디오의 계획을 망칠 수도 있기 때문이다.

이네스가 집을 나서기 위해 현관문을 열었을 때, 귀청이 떨어질 듯한 언니의 고함 소리가 들렸다. 유리창이 쩌렁쩌렁 울렸다. 언니의 휴대폰이 사라진 것이다! 하지만 이네스는 재빠르게 히메네스 할머니네 정원을 가로지르고 있었다. 이네스가 이 얘기를 들려주었을 때 우리는 얼마나 웃었는지 모른다!

거기에 비하면 카멜레온의 임무는 임무랄 것도 없이 아

주 간단했다. 아빠 휴대폰 번호만 적어 오면 되는 것이었으니! 카멜레온은 자신에게 주어진 일에 적잖이 실망했다. 다시금 형사가 될 꿈을 꾸기 시작한 이 마당에 사건의 가장 쉬운 부분을 맡기다니. 전화번호를 적고 달랑 랜턴을 챙기는 일을! 이건 정말 아니었다!

먹보와 다람쥐와 나는 오리털 파카를 챙겼다. 다람쥐는 엄마가 뭔가 미심쩍어 했다고 한다.

"무슨 옷을 그렇게 껴입고 가니? 파카를 입을 만큼 날씨가 춥지도 않은데. 너 지금 거짓말하고 친구들과 해변에서 자는 건 아니겠지?"

"아니에요, 엄마. 정말 히메네스 할머니네 집에서 잔다니까요. 할머니들이 사는 동네는 바람이 많이 불어서 갈 때마다 추웠어요."

그는 거짓말을 했다.

그리고 다람쥐는 엄마에게 입맞춤을 해 주었다. 엄마들을 설득시키는 데는 아들의 뽀뽀만큼 더 좋은 약은 없기 때문이다.

한편 먹보 역시 아무 문제가 없었다. 파카와 장갑과 모자를 챙겨왔다. 그리고 호주머니에 과자와 초콜릿과 껌과

사탕을 잔뜩 넣어 가지고 왔다. 먹보가 밤새도록 보초를 서자면 배가 고플 것이다!

나는 저녁 먹을 때 할머니가 강낭콩을 남기면 못 보내 준다고 위협을 했다(이건 정말 어려운 일이었다). 하지만 그건 어림없는 일이었다.

우리 모두는 아홉 시 삼십 분에 히메네스 할머니네 집에 도착했다. 할머니들은 우리가 그곳에서 잔다는 것을 무척 반겼다.

"몇몇은 소파에서 자야겠다. 침대가 부족해."

아수세나 할머니가 말했다.

"괜찮아요. 우린 소파라도 모두 같이 자는 게 좋아요."

"그럼, 그렇게 하려무나. 비올레타, 이 아이들이 춥지 않게 담요를 더 가져와야겠다."

할머니들은 열한 시에 자러 갔고, 열한 시 반에는 이미 코고는 소리가 들렸다. 소손 페노소 선생님이 효과가 아주 빠른 수면제를 처방해 준 덕분이었다.

"지금은 기다려야해."

인디오가 말했다.

"원래 도둑은 전에 들어왔던 곳으로 다시 들어온다더

라. 어쩌면 이번에도 부엌 창문으로 다시 들어올지도 몰라. 그러니 유리창을 깰 필요가 없도록 창문을 반쯤 열어 놓아야겠어. 이제 도둑이 들어오면 어떻게 할 건지를 생각해 보자."

"근데 도둑이 누군데?"

"혹시 오해하는 건지도 모르니까 말하지 않는 게 더 좋겠어. 오해로 사람을 의심하고 싶지는 않아."

우리가 아무리 누구냐고 물어도 인디오는 절대 말하려 들지 않았다. 우리는 인디오와 한참을 실랑이를 벌였다. 그때 카멜레온은 수사관의 본능을 되찾으며 이제 계획을 짤 시간이라고, 우리가 지나치게 시간을 낭비하고 있다고 말했다. 그가 경찰의 아들이라서 그런지 실제 경찰들이 짜는 것 같은 그런 계획을 쉽게 떠올렸다.

"도둑이 보석을 찾으러 할머니들 방으로 올라갈 때까지 모두 잘 숨어 있어야 해. 도둑이 오면 그때 다람쥐와 먹보는 정원으로 나가. 나갈 때 이네스 언니의 휴대폰으로 우리 아빠한테 전화를 걸어 자초지종을 말씀드려. 실타래와 인디오, 그리고 이네스와 나는 집안에 남아 있을게. 도둑을 감시하고 히메네스 할머니들을 보호해야 하니까. 나는 남의 눈에 띄지 않고 잘 숨어 있을 수 있으니까 할머니 방에서 보초를 설게. 도둑도 날 못 볼 거야. 너희는 소파 뒤에 숨어 있어. 모두 경찰이 올 때까지 기다려. 그리고 혹시 도둑이 도망가려고 하면 우리들이 도망가지 못하게 막아야 돼."

"만약 도둑이 무기를 갖고 있으면?"

먹보가 물었다.

"무기를 갖고 있을 것 같진 않아."

카멜레온이 말했다.

"아무런 힘도 없는 노인 두 분만 사는 집에 오면서 무기가 필요하단 생각은 안 할 거야."

아주 그럴듯한 추측이었다.

이렇게 해서 계획이 완성되자 우리는 거실에서 잠깐 눈을 붙였다. 몇몇은 소파에서 그리고 나머지는 쿠션을 끼고 바닥 카펫에 누웠다. 그리고 누군가 거실에 들어와도 우리가 보이지 않도록 소파를 배치해 두었다.

카멜레온은 담요 한 장을 들고 히메네스 할머니들 방으로 올라가, 침대와 벽 사이에 몸을 웅크리고 누웠다. 고양이들에게 둘러싸인 채. 모두가 정적에 휩싸였고, 두 시간쯤 지나자 우리는 벌써 기다리는 것이 지겨워졌다.

"여긴 아무도 안 와, 인디오. 아, 따분해!"

10

그러나 그날 새벽 세 시, 부엌에서 사기 그릇이 바닥에 떨어지는 소리가 들렸다. 우리는 쥐 죽은 듯 숨을 죽이고 있었다. 드디어 인디오가 말한 대로 도둑이 들어온 것이다. 이제 도둑은 할머니들이 잠들어 있는 침실로 올라가기 위해 거실을 지나갈 것이다.

그림자 하나가 거실 문을 향해 다가오는 것이 보였다. 우리들의 숨소리는 거칠어졌고, 심장은 터질 듯이 방망이질을 해댔다. 도둑은 넘어지지 않도록 랜턴으로 바닥을 비추면서 할머니들의 침실과 연결된 계단을 올라갔다.

그가 계단을 올라가자, 나는 조심스럽게 고개를 들어 머리카락과 얼굴이 보이지 않도록 털모자를 눌러쓴 시커먼,

아마도 검정색인 듯한 옷을 입은 그를 보았다. 영화에서 본 것처럼 남의 눈에 띄지 않게 입은 도둑들과 똑같은 모습이었다. 카멜레온도 제발 눈에 띄지 말아야할 텐데! 도둑에게 들키기라도 하면, 카멜레온은 꼼짝없이 잡힐 것이다.

도둑이 계단을 오르기가 무섭게, 먹보와 다람쥐는 카멜레온의 계획대로 정원으로 나갔다. 아마도 지금쯤 카멜레온 아빠한테 전화를 걸었을 것이고, 카멜레온 아빠는 경찰들을 이끌고 범인을 체포하러 올 것이다…….

하지만 이건 사전에 짠 우리들의 계획일 뿐이었다.

할머니들 방에서 잠복중인 카멜레온은, 도둑이 할머니들 방에 들어와 모든 서랍과 장롱과 나이트 테이블을 발칵 뒤집어 놓았다고 했다. 도둑은 열심히 보석을 찾았지만 아무 것도 발견하지 못했다. 훔쳐갈 게 아무 것도 없었으니 당연한 일이다!

그는 침대 머리 위에 걸어놓은 '눈의 성모' 액자도 움직여 보았다. 심지어 커튼 뒤까지 살펴보았고, 할머니들이 잠들어 있는 침대 매트리스를 살짝 들어 혹시 숨겨 놓은 것은 없는지 손을 넣어 뒤져보았다. 하지만 아무 것도 없었다.

그는 실망하기 시작했다. 그래서 잠자고 있는 할머니들을 깨우기로 작정했다. 처음에는 비올레타 할머니를 힘껏 흔들었고, 얼굴을 서너 번 때렸다. 하지만 비올레타 할머니는 숨을 몰아쉬고 또 몰아쉬었으며, "가만히 좀 있어, 아수세나 언니. 잠버릇도 고약하지! 계속 그러면 손님방에 가서 잔다"라고 말할 뿐이었다.

그 다음에는 아수세나 할머니를 깨우려 들었다. 아수세나 할머니는 언덕길을 오르는 트럭의 엔진 소리처럼 코를 골았다. 도둑은 할머니를 흔들고 또 흔들었으나 아수세나 할머니는, "내일은 애들한테 아몬드 케이크를 만들어 줘야지. 좋은 생각이지?"라고 중얼거릴 뿐이었다.

아수세나 할머니는 등을 돌리고 계속 코를 골았다. 이번에는 착륙하기 직전의 비행기 엔진 소리가 났다.

어쩌면 소손 페노소 선생님이 히메네스 할머니들에게 수면제 양을 너무 많이 처방해 주었는지도 모른다.

도둑은 화가 났다.

"업어 가도 모르게 잠이 들었군!"

그리고 툴툴거렸다.

그 사이 다람쥐가 다시 집안으로 돌아왔다.

"경찰에 신고했어?"

"경찰은 무슨!"

다람쥐는 자신들에게 있었던 일을 말했다. 먹보가 랜턴으로 전화번호를 비추는 동안 다람쥐는 카멜레온 아빠한테 전화를 걸었다. 하지만 그 순간 휴대폰이 핑 소리를 내면서 꺼지고 말았다. 배터리가 다 닳은 것이다!

이제 어떻게 전화를 걸어 도움을 요청한다? 거실에서 전화를 걸면 도둑이 들을 것이고 그랬다간 낭패가 아닐 수 없었다.

"미안해, 충전을 했어야 했는데. 내 휴대폰이 아니라 몰랐어."

이네스가 미안해 했다.

그 순간 도둑이 다시 계단을 내려오는 소리가 들렸다.

다람쥐는 사슴처럼 사뿐히 소파를 뛰어넘어 도둑이 거실에 들어오기 전에 다시 정원으로 나갔다.

도둑은 온 집안을 뒤지기 시작했다. 서랍이란 서랍은 다 열고 히메네스 할머니들이 보관하고 있던 모든 식탁보들마저 모조리 끄집어냈다.

또 사진 뒤를 들여다보고 손님용 유리잔과 그릇들이 진

열되어 있는 진열장을 들여다보았다. 선반에 있던 책들을 끄집어내고, 책상 밑을 들여다보고, 그러더니 소파를 향해 돌아섰다. 도둑은 우리가 숨어 있는 곳으로 점점 더 가까이 다가왔다! 이제 머지않아 소파를 뒤질 것이다. 그런데 아무도 경찰에 연락할 수 없다니! 진퇴양란이었다!

이때 다람쥐에게 아주 기막힌 생각이 떠올랐다. 파이프 관을 타고 할머니들 방까지 기어 올라간다는 생각이었다. 다람쥐는 곧바로 행동에 옮겼고, 손등으로 닫힌 창문을 두드리자 카멜레온은 그에게 문을 열어 주었다.

"빨리 너희 아빠한테 전화해!"

그가 말했다.

"휴대폰은 어쩌고?"

카멜레온이 물었다.

"묻지 말고 얼른 전화해. 자세한 건 나중에 말해 줄게."

히메네스 할머니네는 다행히 다람쥐가 예상한 대로 나이트 테이블에 전화기를 올려놓았던 것이다. 카멜레온은 자기 아빠한테 전화를 했고, 아빠는 당연히 잠이 덜 깬 목소리로 전화를 받았다. 하지만 아들의 목소리를 듣자 이내 카멜레온이 하는 말을 알아들었고, 지원병을 보내겠다고

했다. 지원병은 순식간에 미스 히메네스 할머니네 집 앞에 도착했다.

도둑이 우리가 숨어 있던 소파로 향하던 바로 그 순간, 경찰차들의 라이트가 보였고, 동시에 상황을 알리는 확성기 소리가 크게 들렸다.

"손을 위로 들고 즉시 나오시오! 집은 포위됐소. 도망갈 길은 없소!"

그러나 도둑은 항복하지 않았다. 부엌으로 가서 깨진 창문으로 뛰어내렸다. 그런데 그곳엔 먹보가 초콜릿과 과자를 먹으면서 서 있었다. 먹보는 아무 것도 한 것이 없었지만, 도둑은 그가 거기 있는 것을 보자 기겁을 했다. 도둑은 너무 놀란 나머지 선인장 위로 엉덩방아를 찧고 말았다. 가엾은 도둑은 경찰의 도움을 받아 거기서 나와야 했고, 마침내 앰뷸런스에 실려가야 했다.

우리들은 즉시 할머니네 집에서 불려나왔다. 그리고 도둑이 탄 차에는 얼씬거리지도 못하게 했다. 이웃 사람들은 무슨 일이 있었는지 궁금해 하며 집밖으로 나왔다. 정육점 주인 시릴로까지도 히메네스 할머니네 집에 무슨 일이 있었느냐고 물었다.

모두가 깨어 있었던 그날 밤 잠에서 깨지 않은 사람이
두 사람 있었다. 다름 아닌 히메네스 할머니 두 분이다!

11

다음날 아침, 잠에서 깬 할머니들은 온통 뒤죽박죽이 된 집안을 보자 또다시 실신하고 말았다. 우리는 소손 페노소 선생님한테 전화를 걸었고, 선생님은 할머니들에게 가까운 동네에 있는 온천에 가서 며칠 쉬고 오라는 처방을 내려 주었다.

인디오의 엄마는 물론이고 우리의 엄마들도 간밤에 있었던 사건의 내막을 듣자 거의 이성을 잃고 흥분하기 시작했다. 그러나 할머니들이 소손 선생님 자동차로 온천으로 출발하면 엉망이 된 할머니네 집을 정리해 주기로 했다. 우리는 할머니들에게 고양이를 잘 돌봐주겠다고 약속했다. 카멜레온의 아빠는 보석을 찾는 대로 전화를 주겠다고 했다.

할머니들이 떠나자, 카멜레온의 아빠가 우리에게 다가와 놀라운 소식을 전했다.

"축하한다, 애들아. 너희가 정말 큰 일을 해냈다. 경찰보다 더 큰 일을 해냈어. 그런데 유감스럽게도 어젯밤에 잡은 도둑은 남자가 아니라 여자란다. 이제 가 봐야겠다. 가서 범인을 심문을 해야 하거든."

카멜레온의 아빠는 더 이상 설명도 없이 우리들의 머리를 쓰다듬어 주고는 가 버렸다.

우리 모두는 인디오의 집으로 향했다. 간밤에 가무잡잡했던 녀석의 얼굴은 백짓장처럼 창백해져 있었다.

"자, 인디오, 이제 우리한테 설명할 시간이야."

지난밤에 도둑을 잡았을 때는 인디오와 얘기를 나눌 겨를이 없었다. 인디오의 엄마는 그를 데리고 즉시 집으로 돌아갔고, 경찰들은 우리를 각자의 집으로 데려다주었기 때문이다.

하지만 인디오는 골똘히 생각에 잠겨 있었다.

"아만다!"

그는 혼잣말을 하는 것처럼 중얼거렸다.

"그럴 리가 없어!"

이네스는 정신을 차리게 하려는 듯 인디오의 팔을 세차게 흔들었다.

"인디오, 빨리 말해 봐!"

그제야 인디오는 모든 것을 털어놓았다.

"점토를 사러 가게에 갔을 때 헤르만 아저씨를 봤어. 아만다가 일하는 가게의 성질 고약한 주인 말이야. 그 시간에 가게에서 그 아저씨를 만나다니 의외였어. 오후에는 안 나온다고 아만다가 그랬잖아. 그런데 이상하게도 그가 다리를 약간 절뚝거리더라고. 그가 안쪽으로 들어가기에 아만다에게 물어 봤지. 무슨 일이 있었냐고. 그랬더니 '지난번에 들에 나가 산책하다가 발을 찔렸어. 별거 아냐. 그런데 화가 많이 났어!'라고 하는 거야. 그래서 난 점토 값을 치르고 가게에서 나왔어.

너희들도 알다시피 그날은 소나기가 퍼부었잖아. 물에 젖은 인도를 지나가다가 내 샌들에서 빨간 자국이 묻어나는 걸 발견했어. 가게 바닥에 떨어져 있던 점토를 밟았기 때문이지. 그 순간 번개같이 스치는 게 있었어! 히메네스 할머니네 방에서 찾아낸 그 빨간 가루와 같을 지도 모른다는 생각이 들었던 거야. 그래서 엔리케네 카페에 들어가서 잠시 생각을 정리했는데, 가게에 있던 그 빨간 가루는 히메네스 할머니네 집에 있던 그 빨간 가루와 어쩌면 같을 거라고 말이야. 그 잔소리꾼은 뭔가에 찔려서 발을 절고 있었는데, 그 '뭔가'가 뭘까? 카멜레온이 부엌 창문 밑에서 봤던 그 짓밟힌 선인장! 이제 알겠어? 모든 게 다 일치해. 그제야 나는 얼른 행동을 개시해야겠다고 생각했고, 어떤 함정을 파야겠다는 생각이 떠올랐던 거야. 나는 다시 가게로 돌아가 아만다에게 점토를 더 많이 사야겠다고 했어. 물론 그건 핑계였지. '인형을 그렇게 많이 만들게?' 아만다가 말했어. 그러곤 더 큰 점토를 주더군. '우산을 안 가져왔구나. 비 맞고 집에 가면 흠뻑 젖겠어.' 집에 가는 거 아니에요. 히메네스 할머니네 집에 갈 거예요. 지난번에 도둑이 들어서 두 분만 계시는 걸 무척 무서워 하세요. 그래서 오후엔 제가 거기에 가 있어요. 이렇게 말했지.

난 그 잔소리꾼 헤르만 아저씨가 가게 안쪽에서 내 말을 듣고 있다는 걸 알고 있었어. 그래서 작전을 계속했지. 밤에 잔다는 소리는 물론 안 했어. 그래야 히메네스 할머니들만 있다고 생각할 테니까. 그리고 이렇게 둘러댔어. 다행히

값이 별로 나가지 않는 보석 네 개만 잃어버리셨데요. 미스 히메네스 할머니들은 할머니와 고조할머니가 물려주신 보석들이 가득 든 상자가 있으시데요. 그래서 신경이 많이 쓰이시나 봐요.

물론 이건 거짓말이야. 히메네스 할머니네는 값나가는 물건은 없으시지만, 헤르만 아저씨가 보석이 있다고 믿게 해야 했으니 어쩔 수 없었던 거야. '보석을 은행에 맡겨 개인 금고에 보관하는 게 제일 좋을 거야.' 아만다가 그러더라고.

나는 보석을 은행에 맡기시라고 히메네스 할머니들을 설득해 보겠다고 했어. 그럼 도둑맞을 위험도 없을 테니까. 그런 다음 헤어져서 비를 맞고 히메네스 할머니네로 돌아온 거야. 작전은 이미 진행되고 있었지. 헤르만 아저씨가 도둑이었다면, 다시 히메네스 할머니네 집으로 와서 비싼 보석들을 훔치려고 할 테니까. 있지도 않은 보석들을 말이야.

나는 헤르만 아저씨가 도둑이라고 생각했어. 다만 그 공범자가 다름 아닌 아만다라는 건 정말 생각지도 못했어. 얼마나 친절했는데!"

그날 아침 우리는 동네를 산책했다. 어제 도둑을 잡은 일로 몹시 기분들이 들떠 있었다. 하지만 아만다가 이 일에 연루되었다는 것이 서글펐다. 그렇더라도 히메네스 할머니들은 보석을 되찾을 수 있을 것이다.

비는 그쳤고 토요일이었기 때문에 학교에 갈 필요도 숙제를 할 필요도 없었다. 우리는 아무 생각 없이 아만다의 가게 앞을 지나쳤다. 문은 닫혀 있었다. 가게 안에는 개미 새끼 한 마리도 보이지 않았다. 물레는 서 있었고 불은 모두 꺼져 있었다. 아무도 없었다. 하긴 누가 있겠는가?

우리가 가게 쇼윈도를 지나는 순간, 누군가 유리창을 손등으로 두드리며 우리를 불러 세웠다. 우리는 놀란 표정으로 진열장 쪽으로 다시 돌아갔다. 가게 안에서 아만다가 막 구운 인형에 가격표를 붙이고 있었다. 그녀는 잠시 사라졌다가 우리에게 문을 열어 주었다.

"아만다 누나! 여기서 뭐 하는 거예요? 잡혀가지 않았어요?"

아만다는 미소를 지었지만 늘 짓던 그런 미소는 아니었다. 슬픈 미소였다.

"말도 안 돼! 너희들은 내가 범인이라고 생각한 거니? 체

포된 사람은 내가 아니라 헤르만 씨 부인이야. 두 사람은
의지할 데 없는 사람들한테 도둑질을 하고 있었어. 이 가게
는 완전히 속임수용이었지."

"그럼 왜 우리한테 신고하지 않았어요?"

"나도 전혀 몰랐으니까. 오늘 아침에 경찰이 와서 헤르
만 씨를 체포하고 가게를 뒤졌을 때 알았어."

우리는 아만다가 도둑이 아니라는 것이 말할 수 없이 기
뻤다. 그리고 오해해서 미안하다고 진심으로 사과했다.

"그럼 보석은요? 보석은 찾았어요?"

"아니. 가게 안을 다 뒤졌는데 아무 것도 나오지 않았어.
헤르만 씨의 아파트에도 없는 것 같아. 경찰들 말이 보석을
못 찾으면 절도범으로 고소하기가 힘들대. 충분한 증거가
없으니까."

"말도 안 돼! 가엾은 미스 히메네스 할머니들! 보석을 되
찾을 길이 없다니."

"그럴까 봐 나도 걱정이란다."

아만다가 안타깝다는 표정으로 말했다.

"우리 뭐 좀 먹으면서 기분 전환을 하는 게 어때?"

아만다가 제안했다.

그건 너무 좋은 생각이었다. 우리들 모두는 기분 전환을 하기에 가장 좋은 곳은 푸 만추 빵집이라는데 의견이 일치했다.

12

푸 만추는 몸이 거구인 중국인 빵 기술자였다. 키는 거의 2미터에 가까웠고, 머리는 땋아 허리까지 내려뜨리고 있었다. 3년 전 우리 동네에 왔을 때는 스페인어를 할 줄 몰랐다. 우리는 그의 말을 알아듣지 못했고 그래서 그의 진짜 이름을 늘 헷갈려 해서 그냥 푸 만추라고 불렀다.

푸 만추는 생전 본 적이 없는 신기한 케이크를 만들었다. 옛날 중국 조상 대대로 내려오는 비법을 그와 가족 몇 명만이 알고 있다고 했다. 그가 만드는 케이크는 단순한 케이크가 아니었다. 그것을 먹는 사람에게 어떤 힘을 발휘하게끔 하는 그런 케이크였다. 푸 만추는 그 비법을 훔치려는 적들이 있어서 중국에서 도망치지 않을 수 없었다고 했다.

푸 만추가 만드는 케이크에는 온갖 이상한 이름들이 붙어 있었다. '바다 거품 케이크', '요정의 눈물 케이크', '외뿔 소 케이크', '공주의 탄식 케이크', '마법사의 심장 케이크' 등등.

그리고 모든 케이크에는 저마다 한 가지씩의 특징들을 가지고 있었다. 푸 만추는 기분이 좋거나 슬프거나, 몸이 아프거나 시험에서 낙제를 했거나, 시합에서 졌거나 이겼을 때 똑같은 케이크를 먹어선 안 된다고 말했다. 그래서 판에 케이크 이름이 적힌 이제는 낡아 버린 룰렛을 만들었고, 손님들이 오면 손님의 상황과 그 순간에 맞는 케이크가 어떤 케이크인지 알아맞히기 위해 룰렛을 돌렸다.

"어서와, 어서와, 친구들!"

그는 언제나 호들갑스럽게 우리들을 맞이했다.

"우리 단골손님들께 뭘 드릴까? 오늘은 얼굴들이 아주 슬퍼 보이는구나! '여신의 미소' 케이크를 먹어야겠는걸. 그렇지, 그게 좋겠어."

푸 만추는 중국식 억양이 아주 심했다. 그의 말을 알아들으려면 L을 R로 모두 바꿔야만 했다. 먹보가 룰렛을 돌렸다. 룰렛은 푸 만추가 말한 대로 '여신의 미소'를 가리켰다. 이 케이크는 슬픈 사람들의 영혼을 끌어올린다고 했다.

"잃어버렸거나 도둑맞은 물건을 다시 찾게 해 주는 케이크는 없어요?"

카멜레온이 물었다.

"있고 말고, 친구들. '신성한 눈' 케이크 있어. 뭐든지 다 봐. 아주 깊이 숨어 있는 것까지 다 볼 수 있지. 푸 만추가 공짜로 줄 테니까 하나씩 먹어 봐. 자, 어서 먹어 봐."

푸 만추의 케이크는 아주 특별한 맛이 났다. 그런 맛이 나는 케이크는 아마 그 누구라도 평생 먹어 본 적이 없을 것이다. 입에 넣으면 신기한 거품 같은 것이 일어났는데, 맛이 강한 지 약한 지, 짠 지 단 지, 아니면 두 가지가 섞인 건지 말로 표현할 수가 없었다.

어떤 케이크는 혀와 입천장을 톡 쏘는 기분 좋은 느낌을 주었다. 또 방금 이를 닦은 것처럼 아주 상쾌한 느낌을 주는 케이크도 있었다. 반면에 어찌나 향긋한 냄새가 나는지 먹기보다는 냄새를 더 맡고 싶은 그런 케이크도 있었다. 그 케이크들의 재료가 무엇인지 아는 사람은 아무도 없었다. 우리가 아는 것이라곤 오직 그것을 먹어 본 사람은 반드시 다시 오기 때문에 푸 만추네 빵집은 늘 사람들로 북적거린다는 거였다. 그리고 많은 사람들이 문제가 있을 때마다 그 케이크가 마치 신통력이 있는 것처럼 푸 만추네 빵집을 찾아왔다.

푸 만추는 놀랍기 그지없는 '신성한 눈' 케이크를 우리에게 나눠주었다. 그 이름에 걸맞게 케이크의 맛은 일품이었다. 다행히도 케이크에는 눈이 달려 있지 않았다.

우리는 푸 만추 빵집에서 뜨거운 초콜릿도 마셨다.

"이제 어쩔 거예요, 아만다 누나?"

우리가 물었다.

"아무래도 떠나야겠지."

아만다가 슬픈 표정으로 말했다.

"내겐 헤르만 씨의 가게를 살 만 한 돈이 없어."

우리는 아만다가 떠나지 않기를 바라는 마음에 가지 말라고 졸랐다. 인디오는 누구보다 더 슬퍼하는 것 같았다. 아만다가 도자기를 만들 수 있도록 물레 돌리는 법을 가르쳐 주겠다고 약속했기 때문이다.

인디오의 머리카락이 꼿꼿하게 곤두서기 시작한 것은 우리 모두가 아만다와의 이별을 아쉬워하고 있을 때였다. 마치 경련이 일 때처럼 말이다. 나는 그런 그를 자세히 관찰했다. 인디오의 머리카락이 주뼛 설 때는 어떤 은밀한 계획을 꾸미고 있을 때라는 걸 알고 있었던 것이다. 우리 모두는 무슨 일이 생길 거라는 예감에 휩싸였다.

"왜 그래, 인디오?"

우리가 물었다.

"아마 떠나지 않아도 될지 몰라요, 아만다 누나."

그는 예의 신비한 표정으로 말했지만, 그 이상은 설명하지 않았다.

우리는 조금 좋아진 기분으로 푸 만추네 빵집에서 나왔다. 푸 만추의 마술 룰렛이 우리에게 준 '여신의 미소'의 신기한 효력 때문인지도 몰랐다. 배가 불러야 비로소 먹는 일 이외의 다른 활동을 할 수 있는 먹보는 해변으로 산책을 가자고 제안했다. 로시타는 바닷물이 빠지면 생기는 웅덩이에서 새우 잡는 것을 좋아했는데 그날 아침은 마침 썰물이었다. 우리들은 먹보의 생각에 동의했다. 신선한 공기와 바닷바람이 머리를 식혀 줄 것이기 때문이었다.

해변에서 로시타는 새우와 피라미가 가장 많이 우글거리는 바위 틈새에 있는 웅덩이를 찾아냈다. 하지만 통이나 그물을 가져오지 않았기 때문에 로시타는 하는 수없이 손으로 낚시를 해야만 했고, 그건 결코 쉬운 일이 아니었다. 로시타의 앙증맞은 손이 물 속으로 들어오면 새우들은 하나같이 잘도 도망을 쳤다. 하지만 로시타는 개의치 않았다. 새우들이 어두컴컴한 바위 틈새로 모두 사라질 때까지 계속해서 물 속 새우들을 쫓아다녔다.

카멜레온과 나는 로시타의 새우들이 숨은 바위 밑에서 게를 잡았다. 카멜레온은 게 잡는 전문가였다. 아무래도 변장을 잘하는 그의 재주 때문에, 우리가 있을 때는 잘도 도망가는 게들이 카멜레온이 있을 때는 눈치를 채지 못하는 것 같았다.

"로시타, 이것 봐. 아주 큰 게다! 자, 조심해서 받아. 집게에 손가락 물리지 않도록 말야."

로시타는 아주 조심스럽게 카멜레온이 주는 커다란 게를 집어들었다. 점점 그 게를 감시하는 것이 지루해지자, 로시타는 웅덩이에 게를 놓아주었고, 게는 순식간에 모래 속으로 몸을 숨겼다.

게를 놓아주려고 몸을 웅크리는 순간 로시타의 호주머니에서 점토 공이 물 속으로 떨어졌다. 로시타가 늘 가지고 다니던 공이었다. 로시타는 모래 틈새에서 게를 찾느라 정신이 팔린 나머지 공이 웅덩이에 빠진 것도 모르고 있었다. 잠시 후에 그 공을 발견한 것은 다름 아닌 카멜레온이었다.

"로시타, 이거 받아. 네 보물이 물에 빠져 있잖아. 이런 물에 흠뻑 젖어 버렸는걸!"

로시타가 공을 집자, 물에 불은 공이 물렁물렁해지기 시작했다. 불에 구워 말리지 않은 점토는 물에 젖으면 다시 물렁물렁해진다. 그때 놀랍게도 점토 공 속에서 로시타의 파란색 고무젖꼭지가 나타났다. 로시타가 그것을 그 속에 숨겨 놓았던 것이다. 로시타가 그 공을 언제나 가지고 다닌 것은 그래서였다.

로시타는 눈을 크게 뜨고 그 고무젖꼭지를 한참 동안 쳐다보았다. 마치 '이게 왜 다시 여기 있지?'라고 생각하는 것 같았다. 공 속에 그것을 숨긴 사실을 잊어버린 것 같았다.

카멜레온은 흐트러진 점토 공을 가만히 쳐다보았다. 그리고 갑자기 흩어져 있던 친구들을 부르기 시작했다.

"모두 이리 와 봐! 빨리!"

그가 큰 소리로 친구들을 불렀다. 뭔가를 발견한 것 같았다. 이상한 물고기나 뭐 그 비슷한 것을. 하지만 내 눈에는 아무 것도 보이지 않았다.

카멜레온은 우리들에게 점토 공과 로시타의 고무젖꼭지를 보여주었다.

"그래서 그게 어쨌다는 거야, 카멜레온?"

우리가 물었다.

카멜레온은 무엇 때문인지 안절부절못했다. 어찌나 안절부절못하던지 제대로 말을 꺼내지 못했다.

"'신성한 눈' 케이크가 효과가 있나 봐! 푸 만추 말이 맞았어!"

"그게 무슨 소리야, 카멜레온?"

우리들은 카멜레온에게 무슨 일이 생겼기에 저렇게 초조하게구는지 감이 잡히질 않았다.

"로시타의 고무젖꼭지를 봐! 아만다 누나, 누나네 가게로 가자, 빨리!"

13

카멜레온은 우리를 데리고 아만다가 일하는 가게까지
거의 단숨에 달려갔다. 가게에 도착하자 그제야 자신이 안
절부절못한 이유를 설명했다.

"보석을 어디에 감췄는지 알 것 같아."

"어딘데?"

우리가 물었다.

"경찰이 가게를 전부 뒤졌는데도 아무 것도 못 찾았어,
카멜레온."

아만다가 말했다.

하지만 카멜레온은 개의치 않았다.

"마른 점토 조각은 다 어떻게 해?"

"글쎄…… 통에 모았다가 물에 불려 반죽을 한 다음에 다시 점토로 써. 그러니까 재활용을 하는 거지!"

아만다는 마른 점토를 모아 놓는 통이 있는 곳으로 우리를 데리고 갔다.

카멜레온은 물을 뿌리라고 했다. 그래서 우리는 물을 뿌렸고, 몇 분이 지나자 돌처럼 딱딱한 점토가 물렁물렁해지기 시작했다.

"여기서 뭘 찾겠다는 건데?"

다람쥐가 물었다.

"로시타의 고무젖꼭지가 어떻게 나왔는지 다들 봤지? 로시타가 그걸 점토 공 안에 숨겨 놓았잖아. 그 공에서 고무젖꼭지가 나오리라고 누가 상상이나 했겠어? 안 그래? 내가 만일 도둑이라면, 훔친 물건을 숨기기에 마른 점토만큼 좋은 곳은 없다고 봐. 너희들은 어때?"

우리 모두는 카멜레온이 그런 생각을 한 것에 감탄을 하며 그렇다는 표시로 고개를 끄덕였다. 카멜레온이 형사적인 본능을 회복한 것 같았다. 그가 한 말이 얼마나 그럴 듯한가! 만약 보석이 마른 점토 덩어리 속에 들어 있다면, 미스 히메네스 할머니들이 얼마나 좋아할까!

우리가 한 시간도 넘게 점토 덩어리를 주물러 가며 찾아
보았지만 보석은 나오지 않았다. 처음에는 그토록 그럴 듯
해 보였던 카멜레온의 생각이 성과를 거두지 못하고 있었
다. 헤르만 아저씨는 그곳에 보석을 숨기지 않은 것이다.

"이제 그만 가는 게 좋겠다."

아만다가 말했다.

"점심 먹을 시간인데 부모님들이 걱정하실 거야."

우리 모두는 너무 실망한 나머지 처진 어깨를 한 채 손
을 씻고 외투를 입었다. 그리고 아만다와 헤어지고 길을 따
라 내려갔다.

할머니들은 보석을 찾지 못할 것이다. 정말 안타까운 일
이다. 도둑은 풀려날 것이고, 아만다는 이곳을 떠나야 할
것이다.

우리가 막 골목을 접어들려는 순간 우리들을 부르는 소
리가 들렸다.

"애들아, 잠깐 기다려!"

우리는 뒤를 돌아보았다. 아만다가 우리를 향해 뛰어오
고 있었다. 우리들은 뭔가 놓고 온 모양이라고 생각했지만
그것이 아니었다.

"내가 생각하지 못했던 게 있어!"

숨을 헐떡이며 아만다가 말했다.

"마른 점토를 보관하는 통이 하나 더 있어. 헤르만 씨가 가게 안쪽에다 보관하는 통인데 나한테 늘 만지지 말라고 했거든. 자기가 직접 재활용한다고 말이야. 나는 헤르만 씨가 날 도와주려는 줄 알았어. 내 일을 덜어 주려고 하는 줄로만 알았던 거야. 그런데 지금 생각해 보니까 거기에 보석이 있을지도 모른다는 거야."

우리 모두는 가게까지 단숨에 뛰어갔다. 아만다는 각자 엄마한테 전화를 걸어 그녀와 점심을 먹을 거라는 말을 하라고 했다. 그리고 나서 우리는 헤르만 아저씨가 가게 안쪽에 숨겨 놓은 통을 찾으러 갔다.

그 통의 점토 조각들은 다른 통에 있는 것들보다 훨씬 더 컸다. 그 안에 작은 보석들을 얼마든지 감출 수 있는 크기였다. 아만다는 통에 뜨거운 물을 갖다 부었다. 십 분쯤 지나자 점토는 속을 살펴볼 수 있을 만큼 말랑말랑해졌다.

첫 번째 조각을 흩뜨린 사람은 아만다였다. 우리는 귀걸이, 반지, 브로치 혹은 그 밖의 다른 보석들이 모습을 드러내길 기대하며 아만다의 손에서 눈을 떼지 못했다. 하지만 아무 것도 나오지 않았다. 그 점토 조각에는 아무 것도 없었다. 설마 우리 것도? 하는 마음으로 우리는 각자의 점토 조각을 하나씩 집어들고 뭉게기 시작했다. 진짜 그 속에 보석이 숨겨져 있는지 아니면 우리가 잘못 생각하고 있는 것은 아닌지 빨리 확인하고 싶었다.

결과는 우리들의 생각이 적중했다는 것이다! 처음으로 보석을 발견한 사람은 백발 이네스였다.

"이것 봐! 이건 히메네스 할머니네 팔찌 같아. 헝가리 왕자가 할머니네 할머니한테 선물했다고 한 거 말이야."

우리는 팔찌를 수도꼭지에 대고 점토 부스러기들을 깨끗이 닦아냈다. 잠시 후 팔찌는 새것처럼 반짝거렸다. 할머니들이 얼마나 좋아할까!

우리들은 계속해서 보석을 찾았고, 훨씬 더 많은 보석들을 찾아냈다. 히메네스 할머니네 것뿐만 아니라 다른 데서 훔쳐 온 것까지.

"빨리 경찰에 알려야겠어."

아만다가 수화기를 들면서 말했다.

카멜레온의 아빠는 다른 세 명의 경찰과 함께 즉시 도착했다. 그리고 보석을 보자 입을 다물지 못했다.

"어떻게 여기 있을 거라고 생각했니?"

아만다가 빙그레 웃었다.

"아드님이 생각해 낸 거예요. 카멜레온은 아주 훌륭한 형사예요. 정말 똑똑해요!"

카멜레온은 토마토처럼 얼굴이 빨개졌다. 카멜레온 아빠는 그에게 다가가 다정하게 머리를 쓰다듬어 주었다.

"그래서 다시 수사관이 될 거니?"

이 말에 카멜레온과 우리 모두는 한바탕 웃었다.

경찰은 모든 보석들을 가져다가 깨끗이 닦았다. 날이 어두워질 무렵 카멜레온의 아빠는 히메네스 할머니들에게 전화를 걸어 보석을 다시 찾았노라고 알렸다.

두 할머니는 너무나 기쁜 나머지 그 다음날 서둘러 온천을 떠나 집으로 왔다. 두 분은 우리 모두에게 키스 세례를 퍼부었다. 그리고 우리를 점심 식사에 초대한 것은 물론이었다.

날씨가 화창한 봄날이었고, 또 아직 여름도 아닌데 날씨가 더웠기 때문에 우리는 히메네스 할머니네 베란다에서 식사를 했다. 할머니들은 아만다가 그곳을 떠나야 한다는 것을 알고 몹시 서운해 했다.

"가지 마라, 아만다!"

할머니들이 말했다.

아만다는 히메네스 할머니들과 우리 모두에게 너무나 매혹적인 사람이었다.

인디오는 그날 아침 몹시 조용했다. 나는 이제 녀석을 속속들이 알아가기 시작했다. 그가 지나치게 조용하면 뭔가를 꾸미고 있다는 것을 이제는 알고 있었기에 머지않아 녀석의 머리카락도 곤두설 것이다.

녀석의 머리카락이 지난 번 창문이 열렸을 때처럼 뻣뻣하게 곤두선 것은 우리가 식사를 마치고 후식을 먹고 있을 때였다. 우리 주위로 부드러운 바람이 불기 시작했다. 따스한 바람이었다. 춥지도 않고 그렇다고 거슬리지도 않는 그런 바람이었다.

인디오가 뭔가를 하려는 것이다. 로시티스 선생님이 칠판으로 불러냈지만 수업 내용을 잘 모를 때 뛰는 심장처럼 그렇게 심장이 뛰기 시작했다. 바람은 점점 히메네스 할머니들 주변으로 불더니 곧 부드러운 회오리바람을 일으켰다. 지극히 부드러운 바람이었지만, 그 바람은 오직 할머니들 주변에서만 불었다. 만물박사네 주변을 돌았던 맹렬한 회오리바람과는 전혀 비교가 되지 않았다.

갑자기 아수세나 할머니가 눈을 동그랗게 뜬 채 가만히 있었다. 바람에 할머니의 은빛 머리카락이 흩날렸다. 할머니는 마치 우리 모두가 알아들을 수 없는 어떤 말을 듣고 있는 것 같았다. 잠시 후에 할머니가 말했다.

"그렇지! 이제야 알겠다. 어떻게 하면 아만다가 떠나지 않아도 되는지 말야! 우리 집 차고에다 가게를 차리면 되겠어. 우린 자동차도 없는데 차고가 무슨 소용 있겠어! 상쾌하고 부드러운 바람이 부니까 이렇게 좋은 생각이 떠오르네."

"그래! 나도 방금 그 생각을 했어, 똑같은 생각을 했다고!"

역시 머리카락이 흐트러진 비올레타 할머니가 맞장구를 쳤다.

"마치 천사가 내 귓가에 대고 속삭이는 것 같았어!"

"아만다, 도자기 학원을 세우면 어떨까? 아이들이 와서 배울 수 있게 말이야. 아마 아이들이 떼를 지어 몰려올걸!"

비올레타 할머니는 방금 떠오른 생각 때문에 흥분하고 있었다.

"우리와 같이 살자. 집세는 안 내도 괜찮아. 다만 우리와 잠깐씩 같이 있어 주면 돼. 아만다, 네 생각은 어떠니?"

"그럼, 밤에 우리 두 늙은이만 있지 않아도 되겠네!"

할머니들은 너무나도 흐뭇한 나머지 그 흥분이 아만다와 우리 모두에게 고스란히 전달되었다. 아만다는 모든 것을 수락하지 않을 수 없었고, 바로 그날 우리는 아만다가 할머니네 집으로 이사하는 것을 도와주었다.

헤어질 무렵, 인디오는 그 신비한 미소를 짓고 있었다. 우리는 모두 잠자코 있었지만 사실은 모든 것이 녀석이 한 짓임을 알고 있었다.

그날 밤 나는 다시 공책에 글을 써 내려갔다.

우리의 첫 번째 위대한 모험은 이렇게 막을 내렸다. 아만다는 공방으로 쓸 수 있도록 히메네스 할머니네 차고를 고쳤고, 도기 공방 외에도 어린이들을 위한 도자기 학원도 한쪽에 마련했다. 아만다는 인디오의 엄마와 이야기를 나누었다.

"어린이들에게 에콰도르에서 만드는 벽걸이 융단 만드는 법을 가르쳐 주시면 좋을 것 같아요."

인디오의 엄마는 그 생각이 몹시 마음에 들어 아만다와

동업을 하기로 했다. 문에 큰 간판을 붙였다.

'도자기와 벽걸이 융단 공방 및 학원'

그리고 히메네스 할머니네 집은 동네 아이들로 가득 찼다. 두 할머니는 이제는 혼자가 아니었으며, '보디가드' 격정도 하지 않게 되었다.

14

절도 사건이 있고 난 후 동네는 다시 조용해졌다. 우리들
도 다시 수업과 숙제에 매달렸고, 학기가 끝나가고 있었기
때문에 곧 기말고사를 준비해야 했다. 일상생활이 제 리듬
을 찾은 것 같았고, 모든 것이 날과 주와 달과 해를 거듭하
며 예전처럼 돌아가는 것 같았다. 인디오의 머리카락도 다
시 곤두서지 않았다. 우리와 함께 학년을 올라가고 싶어했
기 때문에 오직 공부에만 집중을 했고, 우리는 우리대로 그
에게 용기를 주고 할 수 있는 한 최대한의 도움을 주었다.
우리 역시 그가 낙제하는 것을 원하지 않았기 때문이다.

여전히 우리에게는 평범한 것들이 인디오에게는 신기하
게 다가왔다. 인디오의 나라는 정말 이국적인 나라였다! 하

지만 인디오는 우리나라를 그렇게 생각할 것이다.

어느 날 정오에 인디오가 몸을 돌리기 시작했다. 바닥을 내려다보았다 하늘을 올려다보았다 하면서 빙글빙글 몸을 돌렸다.

"뭐하니, 인디오?"

우리가 물었다.

"여기선 그림자가 없어지지 않니?"

몹시 신기한 표정으로 인디오가 물었다.

인디오는 모래에 비친 자신의 그림자를 쳐다보았다. 시간은 정오였는데 우리가 납득하지 못하는 무언가가 그에겐 이상하게 보였던 것이다.

"그러니까…… 그래, 그림자는 하늘에 구름이 끼었거나 밤이 되면 당연히 사라지지."

하지만 우리들의 설명이 그에겐 별로 논리적이지 않은 것 같았다.

"에콰도르에선 정오가 되면 모든 사물의 그림자가 사라져. 하늘에 구름이 없어도 말이야. 인티가 하늘보다 더 높은 곳에 있을 때는 그림자가 안 생겨."

"인티가 뭔데?"

우리가 물었다.

"인티는 태양이야. 거기선 태양을 인티라고 불러."

"여기선 모든 사물에 그림자가 생겨. 정오엔 그림자가 작긴 하지만."

우리가 설명을 했다.

인디오의 나라는 정말 이상한 나라임에 틀림없다! 정오에 그림자가 사라진다니!

인디오는 이런 식의 관찰력으로 우리를 놀라게 했다. 그가 오기 전까지는 전혀 생각해 본 적이 없는 것들이었다. 왜냐하면 우리 중엔 그 누구도 이 세계의 반대편에선 그림자가 사라진다는 생각을 해 본 적이 없었기 때문이다. 그건 인디오나 할 수 있는 생각이었다!

그리고 인디오의 또 다른 면은 예고 없이 모험을 불러온다는 점이었다.

토요일 아침 우리 모두는 축구 시합을 하기 위해 해변에 모였다. 학기말 시합에서 5학년 팀을 이기려면 하루도 빠짐없이 열심히 연습을 해야 했다. 인디오가 온 이후로 우리는 많은 경기에서 승리를 했다. 이네스와 인디오는 서로에게 완벽한 상대가 되어 주었다. 인디오는 공을 가지고 골문까지 쉽게 다가가 골문 앞에서 이네스에게 패스를 했고, 이네스는 인디오보다 더 힘차게 슛을 날렸다. 그런 식으로 우리는 골을 기록했다.

그러나 이네스는 공을 가지고 혼자 골문까지 가지 못해 짜증을 냈다. 인디오처럼 지그재그로 뚫고 나가고 싶어했지만 나갈 수가 없었다. 인디오는 발이 혼자 저절로 뛰도록 해야지 생각을 너무 많이 하면 안 된다고 했다. 하지만 이네스에겐 그게 잘 되지 않았다!

어느 토요일, 시합이 끝나고 나머지 선수들은 모두 집으로 돌아갔지만, 우리는 계속 남아 있었다. 인디오가 바다를 워낙 좋아했기 때문에 녀석을 해변에서 불러낸다는 것은 여간 어려운 일이 아니었다.

"우리 수영이나 할까?"

인디오가 말했다.

"더운 날씨에 뛰느라 땀을 많이 흘렸잖아."

"난 배고파."

먹보가 투덜거렸지만 먹보의 그런 말은 늘 듣는 말이었기 때문에 아무도 귀담아듣지 않았다.

"오늘 날씨가 아무리 여름처럼 더워도 물은 아직 얼음

장 같을 걸. 조심해야 돼."

내가 말했다.

"수영복도 없잖아."

이네스가 덧붙였다. 이네스는 아마도 수영복을 입지 않고 수영하는 것이 부끄러운 모양이었다.

"그럼 속옷 입고 수영하지 뭐. 그게 뭐 중요하냐?"

"그럼 그러자."

마침내 우리 모두의 의견이 일치했다.

그리고 속옷만 입은 우리들은 물 속으로 뛰어들었다. 물은 마치 얼음덩이를 띄워놓은 것처럼 차가웠다.

우리는 서로에게 물을 끼얹기도 하고, 파도타기를 하기도 하고, 또 물보라에 몸을 맡긴 채 해변까지 밀려가기도 했다. 추위에 또 깔깔대고 웃느라 우리의 비명은 그칠 줄 몰랐다. 그렇게 우리 모두가 신나게 놀고 있을 때 갑자기 다람쥐가 말했다.

"인디오는 어딨지?"

우리는 모든 동작을 멈추고 주변을 둘러보았다. 인디오는 어디에도 보이지 않았다. 금방이라도 물 속에서 미소를 머금은 채 머리를 내밀 것만 같았다. 하지만 인디오의 머리는 그 어디에서도 떠오르지 않았다. 그제야 우리들은 해변 쪽을 쳐다보았다. 추위에 몸이 꽁꽁 얼어 해변으로 나갔을지도 모른다. 하지만 그는 거기에도 없었다. 인디오가 사라졌다!

차가운 바람이 우리들의 얼굴을 세차게 때렸다.

'우리들에게 뭔가를 알리고 있어!'

내가 생각했다.

하지만 우리는 인디오처럼 바람이 하는 말을 알아듣지 못했다. 그때 먹보가 아주 낮은 소리로 걱정스럽게 중얼거렸다.

"인디오는 수영을 할 줄 모를 텐데……"

우리는 겁에 질린 표정으로 서로를 마주보았다.

"맞아! 인디오는 수영할 줄 몰라! 여기 오기 전까진 바다를 본 적도 없잖아!"

우리들은 필사적으로 인디오를 찾기 시작했다. 모두가 물 속으로 뛰어들었다. 그리고 밑바닥까지 잠수를 했다. 우리는 우리들 때문에 놀라 방향을 바꿔 달아나는 어린 물고기들 사이를 지나갔다. 잠시 후 우리들은 숨을 쉬기 위해 물 밖으로 머리를 밀고 올라왔다. 그리고 인디오가 있는 곳을 가리키는 흔적이라도 찾아보려고 이리저리 주변을 둘러도 보았고, 큰 소리로 인디오를 불러도 보았다.

"인디오! 인디오!"

하지만 인디오의 대답은 없었다. 우리들은 한참을 그렇게 찾아헤맸다.

얼음물처럼 찬 물 속에서 몸이 꽁꽁 언 채 인디오를 찾던 우리는 물 밖으로 나가 몸을 말리고 동네로 가서 구조 요청을 하기로 했다. 우리 모두 옷이 있는 곳으로 뛰어가고 있을 때 갑자기 다람쥐가 바다를 돌아보며 소리쳤다.

"저기 봐, 바위 있는 데를 보라고!"

우리는 다람쥐가 가리키는 벼랑의 바위들을 향해 고개를 돌렸다.

인디오가 그곳 바위틈에 매달려 있었다. 파도가 바위에 부딪칠 때마다 철벅철벅 소리를 내며 인디오의 몸에 덮쳐 왔고, 그럴 때마다 그의 몸이 균형을 잃고 휘청거렸다. 그는 우리에게 어서 가서 구조를 요청하라는 시늉으로 손을 흔들어댔다. 하지만 우리들은 그곳으로 달려갔다.

"구조를 요청하는 게 낫겠어."

내가 말했다.

그러나 다람쥐는 주저하지 않았다. 바위 모서리를 손가락으로 부여잡은 뒤 몸의 탄력을 이용해 바위를 올라탔다. 일단 위로 올라가자, 그는 마치 카드놀이를 하듯 바위를 하나씩 뛰어넘기 시작했다. 뾰족한 바위 모서리도 그의 발을 찌르지 않았으며, 복어 가시도 그를 개의치 않았고, 홍합의 칼날 같은 껍질도 그의 발을 베지 않았으며, 바위에 붙어 있는 삿갓조개 무리들도 그를 방해하지 않았다. 다람쥐는 역시 다람쥐였고 어디든 올라가지 못할 곳이 없었다.

그는 인디오가 있는 곳까지 가서 그에게 손을 내밀었다. 인디오가 어찌나 덜덜 떠는지 제대로 걸을 수조차 없었지만, 다람쥐는 어떻게든 그곳에서 그를 빼내려고 안간힘을 썼다. 균형을 잃지 않도록 또 바위와 바위 사이에 있는 거대한 웅덩이를 뛰어넘도록 손을 잡아 주었다. 그런 웅덩이로 바닷물이 스며들어와 으르렁 쿵쾅 하는 무시무시한 소리를 냈다. 당장이라도 그들을 삼켜 버릴 것만 같았다. 하지만 다람쥐는 조금도 겁먹지 않고 인디오를 해변까지 무사히 데리고 나왔다.

우리는 우리들의 옷으로 그의 몸을 닦아 준 다음 그의 옷을 입혀 주었다.

"어떻게 된 거야, 인디오?"

인디오는 여전히 덜덜 떨면서 연신 기침을 해댔다. 입술은 보랏빛이었고, 눈은 충혈되어 있었다. 조금씩 진정이 되자 인디오는 그동안 일어났던 일을 얘기해 주었다.

"파도 밑에 뭐가 있는지 보고 싶어서 머리를 물 속에 넣어 봤어. 그리고 나서 물위로 나오려고 하는데 갑자기 거대한 파도가 덮쳐 오는 바람에 바닥으로 나동그라지더니 다시 깊은 데로 밀려간 거야. 파도에 휩쓸려 몇 바퀴를 구르다가 겨우 발을 딛고 서 보려고 했지만 바닥이 닿질 않았어. 난 수영할 줄 모르니까 당연히 물 속으로 가라앉은 거지."

"그래서 바위까지 떠밀려가 간신히 바위를 붙잡을 수 있었던 거로구나."

"아냐. 거의 숨을 쉴 수가 없어서 익사하기 일보 직전이었는데, 갑자기 뭔가 아주 거대하고 엄청난 것이 불쑥 내 밑으로 다가와 나를 위로 들어올렸어."

"그러니까, 표류하던 나무 판때기인지도 모르겠네?"

하지만 인디오는 고개를 가로저었다. 나무 판때기는 아니라고 했다. 빈 통도 아니라고 했다. 난파된 배 조각도 아니란다. 그렇다고 튜브도 아니었다. 인디오는 다 아니라고 했다.

"어떤 동물이었어."

"동물?"

우리 모두 동시에 물었다.

"어떤 동물?"

"고래 같았어."

그가 아무렇지도 않게 불쑥 말했다.

우리는 인디오가 농담을 하고 있다고 생각했다.

"고래는 무슨 고래! 말이 되는 소리를 해야지!"

"말도 안 되는 소리! 익사하기 일보 직전에 있었다면서 농담도 잘하시네!"

하지만 인디오는 막무가내였다.

"맞다니까. 거대한 고래였어. 날 등에 태우고 바위까지 데려다줬단 말이야."

"여긴 고래가 없단다, 인디오. 네가 상상한 거겠지. 가끔 죽음에 처한 사람들은 그런 상상을 하곤 해."

먹보가 의젓하게 말했다.

"정말 고래였어. 엄청나게 큰. 등에 난 구멍으로 물을 뿜는 바람에 내 얼굴로 물이 튀었다니까. 비린내가 얼마나 지

독하던지…… 난 구해 줘서 고맙다는 말까지 했는걸."

"그렇다면 우리도 봤겠지. 안 그래?"

인디오는 어깨를 으쓱하곤 아무 말도 하지 않았다. 그는 아무리 자신이 옳다고 생각해도 싸우는 법이 없었다. 진실은 언젠가는 반드시 밝혀진다고 믿었기 때문에.

우리들은 인디오를 집까지 바래다주었다. 그리고 바다에서 있었던 일은 엄마들에게는 비밀로 하기로 모두 약속했다. 엄마들은 사소한 일에도 또 결국 잘 해결됐어도 늘 걱정을 하기 때문이다. 언제나 우리들에게 일어났을지도 모르는 일만 생각한다!

"다람쥐, 넌 훌륭한 친구야."

헤어질 때 인디오가 다람쥐를 돌아다보며 말했다.

"네가 날 구했어!"

다람쥐는 별일 아니라고, 누구나 그렇게 했을 거라고 말했다. 하지만 그날 헤어지는 순간 다람쥐의 눈이 이상하게 반짝거렸다. 난생처음 누군가를 위험에서 구한 것이다!

15

　그날 밤 나는 잠을 설쳤다. 악몽을 꾼 것이다. 바닷물 속
에서 허우적거리며 빠져나오지 못하는 꿈을. 익사하기 일
보 직전에 나는 낚시 그물에 낚여 마치 정어리라도 되는 양
배 위로 끌어 올려졌다. 하지만 그들은 어부가 아닌 해적이
라서 나를 해변에 내려놓지 않고 인질로 끌고갔다. 그 중
한 명은 선장이었다. 그는 아주 날카로운 갈고리와 칼을 가
지고 있었다. 그리고 웃을 때는 벌레 먹은 모든 이빨이 고
스란히 드러났다. 그의 얼굴은 어디서 본 듯 낯이 익었지만
누군지 기억이 나지 않았다.

　나는 우리 집 아래층에서 나는 소리에 잠을 깼다. 우리
아빠는 어부인데 매일 밤에 고기를 잡은 뒤 새벽에 집으로

들어왔다. 그렇기 때문에 잠은 주로 오전에 잤다. 그러나 그날 아침은 이상한 일이 일어났다. 아빠가 들어오는 소리가 났다가 다시 현관문이 열리고 닫히는 소리가 들렸다. 아빠가 다시 나간 것이다. 엄마와 할머니는 아마도 내가 깰까봐 그런지 낮은 소리로 소곤거려 나는 두 분이 하는 얘기가무슨 말인지 전혀 알아들을 수가 없었다. 그러다가 다시 잠이 들었다.

아침 아홉 시에 내 방 유리창을 두드리는 소리에 나는 다시 잠에서 깼다. 아니 깜짝 놀라 일어났다. 고양이나 새인지도 몰랐다. 나는 커튼을 젖혔다. 하지만 고양이나 새는아니었다. 그제야 유리창을 두드린 것이 다름 아닌 다람쥐라는 것을 알았다. 나는 창문을 열었다.

"너 여기서 뭐하냐, 다람쥐?"

다람쥐는 벽에 매달려 있는 파이프를 타고 올라왔던 것이다.

"빨리 옷 입고 나와! 해변에 큰 일이 생겼어."

내가 아무 반응이 없이 마치 신기루를 보듯 그를 뚫어지게 처다보자, 그가 나를 마구 흔들었다.

"빨리 옷 입고 나와. 다른 애들은 다 왔어."

나는 옷을 입으면서 무슨 일로 다람쥐가 다른 사람들처럼 문에서 나를 부르지 않고 파이프를 타고 올라왔는지 궁금했다. 계단을 내려온 나는 냉장고에 메모지를 붙여놓았다.

　'저 축구하러 가요.'

　혹시 못 나가게 할까 봐 그 누구와도 마주치고 싶지 않았던 것이다. 일요일이면 엄마는 대청소와 각 방에서 쓰레기를 수거하는 일로 분주했다. 내 방은 아직 점검을 받지 않았다. 하지만 막 부엌을 나서려는데 할머니가 들어왔다.

　"이렇게 일찍 어딜 가는 게냐? 아침도 안 먹고 말도 없이?"

　'들켰구나! 못 나가면 어떡하지?'

　내가 생각했다.

　"다람쥐랑 축구장에 가려고요. 시합이 있는데 늦었어요, 할머니."

　급하니까 나도 모르게 거짓말이 술술 튀어나왔다. 이유는 모르지만 혹시 사실대로 말하면 못 나가게 하거나 아니면 적어도 먼저 아침을 먹이려고 할 것 같았기 때문이다.

　"그럼 비스킷이라도 가져가려무나. 길에서라도 먹게.

그리고 나가기 전에 우유 한 잔 마시고. 잔소리 좀 하지 않게 해라!"

어쩔 수 없이 비스킷을 챙기고 우유 한 모금을 마시는 도리밖에 없었다. 안 그러면 문을 가로막고 그 틀에 박힌 '못 간다, 절대 못 가!'라는 표정을 지을 것이기 때문이다. 할머니들과 엄마들은 언제나 먹는 것에 연연해 한다! 인생에서 그보다 훨씬 더 중요한 것이 있다는 것을 이해하지 못한 채.

손에 든 비스킷은 집을 나올 수 있는 외출 허가증이었다. 나는 정원에서 다람쥐를 만났다. 그가 무슨 얘기라도 할 줄 알았지만 그는 아무 말도 하지 않았다.

"뛰자!"

그러곤 내 소맷자락을 끌어당기며 달리기 시작했다.

나는 길에서 바지 호주머니에 집어넣은 비스킷을 떨어뜨렸다.

해변에 도착한 우리는 이미 멀리서도 기슭에 모여 웅성거리고 있는 사람들을 볼 수 있었다.

"누가 물에 빠지기라도 한 거야? 익사한 건 보고 싶지 않아."

"아냐, 아니래도. 누가 익사했다면 앰뷸런스가 왔겠지. 근데 앰뷸런스가 보이냐?"

앰뷸런스는 보이지 않았다. 그렇다면 다람쥐의 말이 옳은 것이다. 익사한 사람은 없다. 어쩌면 난파선의 짐들이 파도에 실려 해변까지 밀려왔을 수도 있다. 언젠가 가전제품을 실은 배가 난파되었을 때 해변은 나무 상자에 든 젖은 세탁기로 가득 찬 적이 있었다. 사람들은 그것들을 각자 집으로 가져갔지만 작동되는 세탁기는 한 대도 없었다.

우리는 해변을 향해 달리기 시작했다. 먹보가 우리를 보고 손을 흔들며 빨리 오라는 시늉을 해 보였다. 나는 더 이상 빨리 달릴 수가 없었다. 해변의 모래에 발이 빠져 빨리 달릴 수가 없었던 것이다.

무언가를 에워싸고 사람들이 웅성대는 곳에 다가와서야 달리기를 멈추었다. 우리는 사람들 가랑이 사이로 빠져나가지 않으면 안 되었다. 그리고 팔꿈치로 밀어 제치고 나가서야 겨우 맨 앞으로 갈 수 있었다.

놀라서 눈이 휘둥그레질 정도로 그것은 상상도 하지 못한 광경이었다! 우리들의 눈앞에 거대한 고래 한 마리가 나타난 것이다! 고래는 해변의 모래사장에 박혀 있었다. 그러니 인디오가 한 말이 사실이었던 것이다!

먹보와 이네스와 카멜레온과 인디오는 동네에서 몰려온 많은 사람들과 마찬가지로 물통으로 바닷물을 퍼다가 고래의 몸에 끼얹고 있었다. 고래 가죽이 말라 고래가 괴롭지 않도록 하기 위해서였다. 먹보는 주머니에서 젤리를 꺼내 고래의 입에 갖다댔다.

"먹보, 바보 같은 짓 하지 마! 고래는 젤리도 안 먹고 사탕도 안 먹어."

다람쥐가 의젓하게 타일렀다.

"먹으면 탈이 날 거야. 복통이 일어날 거라고. 게다가 지금은 죽어가고 있잖아. 죽어가는 사람이 젤리를 먹고 싶어하는 거 봤니? 너, 먹보만 빼고 말이야."

먹보는 어리둥절한 표정을 지으며 젤리를 다시 주머니에 넣었다. 고래를 위로하고 싶었으나 물을 퍼다 끼얹어 주는 것 외엔 어찌해야 할 바를 몰랐다.

그때 우리 뒤에서 시끌벅적한 소리가 났다. 우리는 뒤를 돌아다보았다. 그건 다름 아닌 정육점 주인 시릴로였다. 그는 엄청나게 큰 칼을 갈고 있었다. 시릴로는 못마땅한 표정으로 우리를 쳐다봤다.

"고래는 하나에서 열까지 버릴 게 없어. 보니까 가망이 없는 것 같은데, 한시라도 빨리 고통을 덜어주는 게 좋을 걸. 다시 바다로 돌려보낼 방법은 없으니까!"

그는 흉측하고 시커먼 이빨을 드러내며 기분 나쁘게 웃기 시작했다. 그러곤 손가락으로 칼날이 잘 섰는지를 점검했다. 그제서야 나는 꿈에서 본 해적의 얼굴이 시릴로의 얼굴이었다는 것을 깨달았다. 그는 고래를 죽일 만반의 준비를 하고 있었다!

다행히도 바로 그 순간 카멜레온의 아빠가 도착했다.

"여기선 아무도 고래를 죽이지 않을 것이오. 그러니 그 칼 치워요. 일단 바다로 돌려보내도록 애를 써 봅시다. 그래도 안 되면 그때 가서 생각해 봐야죠! 자, 다들 물러서세요. 물통을 갖고 물을 나르는 분들만 빼놓고 다들 돌아가 주세요. 알아들으셨소, 시릴로?"

정육점 주인 시릴로는 툴툴거리면서 돌아섰다. 한시라도 빨리 고래가 죽어 부위별로 저미기를 바라는 마음으로.

16

오전 내내 우리는 고래 몸에 물을 뿌려댔다. 하지만 고래는 시간이 지나갈수록 점점 더 약해져 갔고, 사람들의 모든 노력은 수포로 돌아갔다.

"밀물이 들어오면 바다를 향해 고래를 밀 수 있을지도 몰라요."

몇몇 사람들이 희망을 가지고 말했다.

오후가 되어 식사를 마치자, 그린피스 전문가 몇 명이 왔다. 그들은 경찰과 이야기를 나눈 뒤, 고래를 검사했다. 다람쥐는 그린피스 대원들과 함께 가서 그들이 하는 말을 듣고 있었다. 그는 나중에 우리들에게 상황을 설명해 주었다.

"고래가 바다로 가려면 기적이 일어나야 한데. 설사 밀물이 들어오더라도 고래가 워낙 무겁기 때문에 그 무게를 들어올리기엔 물의 양이 충분하지 않을 거래. 그래서 바다로 돌아갈 수 없다는 거야."

"결국 시릴로가 칼을 들고 와서 포를 뜨겠구나!"

이네스가 안타까운 목소리로 말했다.

"말도 안 돼! 고래가 인디오를 도와주었잖아! 그러니 우리도 고래를 도와주어야 해!"

다람쥐가 말했다.

다람쥐는 동물 애호가답게 오전 내내 그린피스 대원들을 쫓아다니면서 그들이 하는 모든 일을 눈여겨보고 있었다. 그의 가장 큰 꿈은 사람들을 구조하는 것 이외에 그린피스 대원이 되는 것이었다.

반면에 인디오는 말이 없었다. 분명 고래를 살릴 방법을 찾는 중이겠지만 일이 잘 될 거라는 확신이 서기 전에는 절대 그 어떤 계획도 먼저 말을 꺼내지 않았다. 그런 그가 갑자기 우리 쪽으로 돌아서면서 말했다.

"너희들 나 믿지?"

우리는 서로를 마주보았다. 밑도 끝도 없이 무슨 말이야?

"그게…… 그럼, 믿고 말고. 우린 널 믿어, 인디오."

우리가 말했다.

"그렇다면 다람쥐, 넌 저 벼랑 가장 높은 데까지 내가 올라갈 수 있도록 도와줘."

"하지만 저기까지 올라간다는 건 너무 어려워. 난 못 가!"

먹보가 투덜거렸다.

인디오가 올라가고 싶어하는 벼랑은 해변에서 가장 높은 벼랑으로, 경사가 몹시 심하고 위험했다. 우리들 중 그곳에 올라가 본 사람은 아무도 없었다. 아니, 다람쥐만 빼놓고 말이다. 다람쥐는 한번 올라갔다가 아빠로부터 호되게 야단맞은 적이 있었다.

"내가 같이 갈게, 인디오. 우리 모두가 다 올라갈 필요는 없어."

다람쥐는 먹보를 안심시키면서 말했다.

우리가 해변에서 고래에게 물을 끼얹는 동안, 인디오와 다람쥐는 벼랑을 오르기 시작했다. 다람쥐는 인디오를 앞서 가면서 매번 뒤를 돌아보며 그에게 손을 내밀거나 어디를 잡아야 하는지 또 어디를 디뎌야 하는지를 알려 주었다.

한 삼십 분쯤 지났을 때 두 사람은 벼랑의 가장 높은 곳에 가 있었다. 우리는 밑에서 그들을 보고 손을 흔들어 주었다. 인디오는 바다를 향해 서 있었고, 다람쥐는 그의 곁에 앉아서 기다리고 있었다. 둘은 그렇게 한참을 있었다. 마침내 부드러운 바람이 불기 시작했다. 인디오는 바람과 이야기를 하고 있는 것이 분명했다.

바람은 처음에는 살을 간질이는 듯 살살 불었지만 점차 강해졌다. 해변에 있던 사람들 중 많은 수가 떠나기 시작했다. 하늘은 곧 폭풍이 몰려올 것임을 예고하는 시커먼 구름이 잔뜩 낀 채 점점 더 어두워졌다. 인디오는 바람에게 어떤 제안을 한 걸까? 아무리 많은 바람이 불어온다고 해도 고래가 날아서 바다로 가진 못할 것이다!

한 시간쯤 지나자 바람은 더욱 거세져서 도저히 해변에 있을 수가 없었다. 그린피스 대원들을 포함한 모든 사람들이 그곳을 떠나고 없었다. 밀물이 밀려와 이제는 바닷물이 고래를 적셔 주었기 때문에 물통으로 물을 나를 필요가 없었다. 하지만 고래를 바다에 띄워 돌려보낼 수 있을 만큼 충분한 물은 아니었다.

다람쥐와 인디오는 벼랑 기슭까지 내려왔다.

"이제 내려와야 할 시간이야! 우리들 모두가 꽁꽁 얼었어."

이네스가 투덜거렸다.

"집으로 가자."

인디오가 말했다.

"이제 기다리기만 하면 돼."

인디오는 우리에게 아무 설명도 하지 않았다.

밤새도록 바람은 맹렬한 기세로 불어댔다. 폭풍이 몰려온 것 같았으며 뉴스에서는 해변에 강한 태풍이 불고 있다는 소식을 전해 주었다. 그날 밤 우리 아빠는 고기를 잡으러 나가지 않았고, 동네 다른 어부들도 마찬가지였다. 바다에는 파도가 집채만큼 커졌기 때문에 배를 전복시킬 수도 있었다.

나는 밤새도록 그 강한 태풍이 불고 있는 해변에 혼자 있는 고래를 생각했다. 평생을 바다에서 살았기 때문에 그런 태풍 아니 그보다 더 심한 태풍에도 이미 적응이 되었겠지만 말이다. 그렇다고 해도 바닷속에서 태풍을 겪는 것과 해변에서 겪는 것은 같지 않을 것이다.

날이 밝자 태풍은 잠잠해져 있었고, 다만 비가 약하게

뿌리고 있었다.

그날 우리는 거의 잠을 못 잤음에도 하나같이 일찍 일어 났다. 월요일이었지만 공휴일이라 수업이 없었다. 우리 아 빠는 걱정을 하고 있었다.

"배가 어떤지 항구에 좀 나가봐야겠다. 분명히 망가진 데가 있을 거야."

나는 고래를 생각했다.

"고래 보러 가도 돼요?"

내가 물었다.

"안 가는 게 좋겠어."

엄마가 말했다.

"간밤에 그렇게 태풍이 불어댔는데 살아있을 리가 없 지."

그제야 나는 정육점 주인 시릴로가 생각났다. 분명 그 무시무시한 칼을 들고 벌써 해변에 나가 포를 뜨고 있을 것 이다!

"제발 가게 해 주세요, 엄마!"

"그럼 침대를 정리하고 쓰레기를 갖다 버린 다음에. 어 제처럼 하면 절대 안 된다."

나는 상황이 상황인 만큼 순식간에 방 청소를 마쳤다.

해변에 도착하자 나처럼 고래가 어떻게 되었는지 궁금해서 나온 사람들로 북적였다. 멀리서 보니 해변에 모인 사람들 때문에 고래를 볼 수가 없었다. 가까이 다가가는 동안 가슴은 쿵쾅쿵쾅 두방망이질을 했다. 고래가 죽었을까? 그렇게 큰 동물이 죽은 것을 보는 것은 별로 기분 좋은 일은 아니었다. 시릴로는 그 잘 드는 칼로 벌써 고래의 포를 뜨고 있을까?

누군가 뒤에서 나를 부르는 소리가 들렸다. 돌아다보니 다람쥐와 인디오가 나를 향해 달려오고 있었다.

"너 찾으러 갔더니 벌써 나갔다더라. 이네스, 먹보, 카멜레온은 지금 오고 있는 중이야."

우리 세 사람은 사람들이 모여 있는 곳을 향해 뛰어갔다. 그곳엔 그린피스 대원들이 경찰과 얘기를 나누고 있었다. 해변은 태풍 때문에 조금 달라져 있었다. 해변 입구에서 있던 나무들 중 몇 그루가 뿌리째 뽑혀져 있었다. 전봇대 하나도 바닥에 쓰러져 있었으며 경찰은 아무도 전깃줄에 닿아 감전당하는 일이 없도록 그 주변에 쇠 울타리를 쳐 놓았다. 고래, 고래는 어떻게 되었지?

우리는 사람들에게 가까이 다가갔다. 그린피스 대원들은 이제 차례로 돌아가며 쌍안경을 들고 바다를 바라보고 있었다. 나 역시 바다 쪽을 바라보았으나 특별히 눈길을 끌 만한 것은 아무 것도 없었다.

겨우 맨 앞줄로 나간 우리는 고래가 그곳에 없다는 것을 확인했다.

"고래를 어디로 치웠어요?"

다람쥐가 그린피스 한 여자 대원에게 물었다.

혹시 밤새 죽어서 크레인이 와서 치웠을지도 모른다. 그린피스 대원은 우리를 돌아보며 빙긋 웃었다.

"누가 치운 게 아니라 고래가 혼자 갔어. 어젯밤에 거대한 파도가 해변을 완전히 덮쳐서 물바다가 된 거 몰랐니? 작은 지진이 일어났다고나 할까. 파도가 고래를 덮쳐서 바다로 끌고갔어. 물론 기적이지."

우리는 인디오를 쳐다보고는 살짝 미소를 지었다. 인디오는 절대 지는 법이 없었다! 이번에는 다람쥐가 인디오에게 큰 도움을 준 것이다.

"얘들아. 재미있는 거 볼래?"

그녀는 우리에게 쌍안경을 주면서 우리가 봐야 할 곳을

가리켰다. 우리는 굉장한 광경을 보았다. 세 마리의 고래가 물 위로 뛰어오르며 멀어져 가고 있었다. 해변으로 떠밀려 왔던 고래의 가족이 해변 가까운 곳에서 그 고래를 기다리고 있었던 것이다.

17

한 학기가 순식간에 지나갔다. 학기말이 다가오고 시험을 보는 날이 많아지자, 시간은 너무나 빨리 지나갔다. 너무너무 빨라서 공부할 시간이 없을 정도였다. 하지만 한편으론 시간이 아주 천천히 가기도 했다. 너무나도 천천히 가서 방학이 영영 오지 않을 것만 같았다. 이런 면에서 보면 시간은 참 복잡한 것이다.

5월에 로시티스 선생님은 신경이 예민해져 있었다. 교과서를 끝낼 시간이 충분하지 않았기 때문에 남은 분량을 서둘러 설명하고 또 설명했으며, 숙제를 내 주고 또 내 주었다.

게다가 축구 결승전을 코앞에 두고 있었으므로 축구 시

합에 나가는 선수들은 연습도 열심히 해야만 했다. 그 해에는 예전과 다르게 축구 시합에 대한 큰 기대를 걸고 있었다. 인디오가 우리 팀에 들어오면서 우리가 이길 가능성이 높았기 때문이다. 이미 우리는 그렇게 호락호락한 팀이 아니었다! 5학년 팀은 약도 오르고 걱정도 많았다. 점점 더 속임수를 많이 쓰고 반칙을 많이 하는 걸 보면 알 수 있다. 그리고 우리가 이기면 언제나 자기네들끼리 싸움을 벌였다. 우리들은 마침내 결승에서 이길 거라고 확신하고 있었기 때문에 기분이 이루 말할 수 없이 좋았다.

하지만 시합을 앞둔 하루 전 날, 5학년 팀이 우리들의 심기를 건드렸다.

"너희가 질 거다, 올챙이들아!"

준결승전에서 5학년 골키퍼인 터미네이터가 우리들에게 말했다.

우리는 그저 웃어 줄 뿐 아무런 대꾸도 하지 않았다. 우리는 그런 쓸데없는 일로 싸운다는 것은 바보 같은 짓이라는 걸 인디오에게서 배우고 있는 중이었다. 승리자가 누구인지는 곧 밝혀질 것이다.

그러나 모두의 예상과 달리 예기치 않은 일이 벌어졌다.

시합이 있기 며칠 전 우리는 인디오에게 말했다.

"절대 아프면 안 돼, 인디오. 이제 겨우 이틀 남았어."

"먹보가 주는 과자나 사탕도 절대 먹지 마."

"게으름을 피워서도 안 돼. 계속 연습을 해야 돼."

"땀이 날 때 옷을 벗으면 안 돼. 감기 걸리거든."

인디오의 귓전엔 잔소리가 그칠 줄 몰랐고, 그는 우리를 비웃었다.

"너희들은 엄마가 다 됐구나."

그래도 우리는 그에게 혹시 무슨 일이라도 생겨 축구를 하지 못하게 될까 봐 온갖 잔소리를 늘어놓았다. 인디오가 뛰지 않는다면 우리는 질게 뻔했다.

그·런·데·인·디·오·가·병·이·났·다·!

시합이 있기 하루 전날, 인디오가 갑자기 배가 아프다며 설사를 하기 시작했다. 그러곤 하루 종일 화장실을 들락거렸다. 그 상태로 축구를 한다는 것은 불가능했다!

점심 시간에 우리는 그를 보러 갔다.

"미안해."

인디오는 장에 탈이 나서 침대에 몸을 웅크린 채 신음을
했다.

우리는 슬픔에 잠겼지만 그를 위로하려고 애를 썼다.

"걱정 마, 인디오. 우리가 어떻게든 해 볼게. 어쨌거나
이네스가 뛰니까. 우리가 골을 넣을 거야. 두고 봐."

그러나 우리의 사기는 인디오가 걱정하지 않도록 꾸며
낸 것이다.

"빌어먹을!"

인디오의 집을 나서면서 다람쥐가 말했다.

"우리가 운이 없는 거야. 일 년 내내 감기 한 번 안 걸리
다가 시합 바로 전날에 설사라니!"

"우리가 인디오에게 한 말을 생각해 봐! 먹보, 너 인디오
한테 사탕을 얼마나 준 거야?"

카멜레온이 나무랐다.

"나? 한 개도 안 줬어! 정말이야! 인디오가 어디서 먹었
는지 몰라도 내가 준 건 아냐!"

그는 인디오의 뱃속이 아니라 자신의 호주머니에 들어
있었다는 것을 보여주고 싶은 듯 젤리로 가득 찬 호주머니
를 보여주었다.

그날 오후 학교를 나서는데 터미네이터가 우리에게 다가왔다.

"안녕! 인디오가 아프다며?"

"형이 그걸 어떻게 알아?"

"난 너희들이 생각하는 것보다 훨씬 더 많은 걸 알고 있지."

터미네이터가 잘난 체를 하며 말했다. 그러곤 깔깔대고 웃었다.

"아마도 설사가 우연은 아닐 걸⋯⋯."

"그게 무슨 말이야?"

"너희 친구 말이야. 상대팀 선수들이 콜라를 주었을 때 그렇게 덜컥 받아먹지 말았어야 했는데."

터미네이터는 또 웃기 시작했다.

그제야 우리는 어제 오후에 해변에서 연습을 마친 다음 5학년 팀 몇 명이 콜라가 담긴 컵을 들고 와서 우리에게 주었던 것이 생각났다. 그런 친절이 의외였지만, 목이 말랐기 때문에 주는 콜라를 받아마시고 고맙다고 했던 것이다. 그제야 우리는 그 친절의 의미를 깨달았다!

"설마 인디오의 음료에 뭔가를 넣었다는 건 아니겠지!

콜라에 뭘 넣은 거야? 변비약을?"

"난 아무 말도 안 했다."

터미네이터가 웃었다.

변비약은 장이 막혀서 대변을 볼 수 없을 때 뚫리게 하는 약이다. 그래서 가엾은 인디오가 그런 거구나! 하루 종일 변기에 앉은 채!

"하지만 그건 함정을 파기 위한 거야! 인디오가 날 때까지 시합을 연기해야 돼!"

"그건 절대 안 돼!"

터미네이터가 말했다.

"경기는 연기 못 해. 증거가 없잖아! 게다가 후보 선수도 있고. 인디오 대신 후보 선수더러 뛰라고 해!"

"형들은 사기꾼들이야!"

하지만 아무리 화가 나도 속수무책이었다. 후보 선수를 뛰게 하는 수밖에.

우리는 이 사실을 알려 주기 위해 다시 인디오네 집으로 갔다.

"그렇지만 단 한번인데 뭐!"

인디오는 그들이 우리를 이기기 위해 변비약을 주었다

는 생각을 하지 못했다.

인디오는 할아버지에게 들은 것을 말해 주었다. 그의 할아버지는 한의사답게 백발의 머리를 길게 늘어뜨렸고, 인디오와는 에콰도르 원주민 말인 케추아어로 말했다.

인디오의 할아버지는 말 한마디 없이 자리에서 일어나 약을 만들기 시작했다. 먼저 뿌리와 이파리 혹은 약초가 든 작은 병들을 꺼내 그것들을 절구에 넣고 빻았다. 그런 다음 냄비에 모두 넣고 끓이기 시작했다. 잠시 후 그 액체를 걸러 컵에 따른 다음 인디오에게 마시라고 주었다. 모양새는 흉측했지만 인디오는 잠자코 그것을 받아마셨다. 마치 레모네이드를 마시듯 꿀꺽꿀꺽!

"맛있어?"

언제든 삼킬 수 있는 것이라면 무엇이든 끌리는 먹보가 물었다.

"아니. 도마뱀하고 두꺼비 맛, 산양 뿔과 산사나무 맛, 낙타 눈알과 거미 다리 맛이 나. 너도 먹어 볼래, 먹보?"

먹보는 뒷걸음질을 쳤고, 우리는 참지 못하고 웃음을 터뜨렸다.

"이제 다들 집으로 돌아가. 할아버지 말씀이 아무리 약을 먹어도 설사가 멈추려면 시간이 걸린대. 내일 괜찮아지면 너희한테 갈게. 그렇지 않으면······ 너희들끼리 알아서 해. 너희들은 생각하는 것보다 훨씬 더 잘할 수 있어. 이네스에게 길을 열어 주는데 집중해. 일단 이네스가 골문까지만 가면 문제없이 골을 넣을 거야."

그건 우리도 이미 알고 있었다. 문제는 그 사나운 5학년들을 어떻게 제치고 이네스가 골문까지 가도록 도와주느냐였다.

18

하지만 설상가상이라는 말이 있듯 언제나 한번 나쁜 일이 생기면 더 나쁜 일이 연거푸 일어나기 마련이다. 우리의 경우가 그랬다. 이번에는 훨씬 더 나쁜 일이었다!

우리는 인디오가 아프다는 것을 알리기 위해 이네스의 집으로 가고 있었다. 왜냐하면 그날 이네스가 결석을 했는데 우리는 그 이유를 모르고 있었다. 바로 그때 이네스의 언니인 카를로타를 만났다.

"미안하지만 내 동생은 내일 축구 시합에 못 나가."

"또 목이 아픈가요?"

"그 정도가 아냐! 수학 과목을 낙제해서 지금 현재 '가택 연금중'이야. 그게 무슨 말인지 아니? 아니면 거기까진 너무 어려워서 모르나?"

카를로타는 뭐가 그리 재미 있는지 마냥 웃어댔다. 이제 막 열여섯 살이 된데다가 군인인 파키토와 사귀고 있어서인지 우리들에게 이상한 우월감을 갖고 있었다.

"3주 동안 외출 금지야. 아빠가 그렇게 말씀하셨어. 다음 주면 아마 풀려 날 거야. 아빠는 마음이 약하시거든! 하지만 내일은 아냐. 너희가 무슨 말을 해도 그건 안 될 거야."

우리는 참담한 심정이었다. 인디오와 이네스가 없는 경기는 보나마나였다. 우리는 이네스를 보러 갈 수 있느냐고 묻고 싶었지만 마침 휴대폰이 걸려왔고 그녀는 드디어 처음으로 손이 떨리지 않고 아이라인을 그릴 수 있었다는 수다를 떠느라 몹시 분주했다.

이네스의 언니는 어쩌면 그렇게 어처구니없는 걱정을 하며 사는지!

우리는 기운없이 집으로 돌아갔다. 인디오만이라도 나으면 얼마나 좋을까!

"설사는 하루아침에 멈추지 않는단다."

저녁을 먹는 동안 할머니가 말했다.

"아무리 약초를 쓰고 비법을 써도 소용없어. 그 애 할아버지가 준 약을 먹었으니 낫기야 하겠지만 그래도 아플 만큼 아파야 나을 게야."

인디오의 할아버지가 한 말과 똑같은 말이었다. 모든 할머니 할아버지들이 약속이라도 한 걸까?

저녁을 먹고 나자 전화벨이 울렸다.

"실타래, 네 전화다."

엄마가 말했다.

카멜레온이었다.

"한 가지 생각이 떠올랐어, 실타래. 경기가 열리는 시간에 이네스를 집에서 빼내 오는 거야. 이네스가 빠지면 절대 안 돼."

"그거야 그렇지만 어떻게?"

그러자 카멜레온은 자신의 계획을 들려주었다. 카멜레온은 일찍이 자신감을 회복했기 때문에 이제는 멋진 생각들이 곧잘 떠오르고 있었다. 나는 먹보에게 전화를 하고 카멜레온은 다람쥐에게 전화를 해서 전략을 알리기로 했다. 이네스에게는 방금 전 카멜레온이 전화를 했지만 아무도 전화를 받지 않는다고 했다. 이네스의 언니가 인터넷으로 채팅을 하고 있는 게 분명했다. 인터넷을 할 땐 전화가 불통이다.

다음날 아침 먹보와 카멜레온과 다람쥐가 나를 데리러 왔다. 우리 집은 이네스네 집과 가까웠기 때문에 우리 모두 그곳으로 향했다. 인디오가 없이 경기를 이긴다는 것은 이미 어려운 일이었으나, 이네스만 있다면 적어도 몇 골은 넣을 수 있을 것이다. 카멜레온의 계획은 훌륭했지만 운이 따라 주어야만 가능한 일이었다.

이네스의 집에 도착한 우리는 뿔뿔이 흩어졌다. 다람쥐는 정원을 가로질러 이네스의 방 창문 밑으로 갔고, 우리는 현관으로 갔다.

"누가 초인종을 누를 건대?"

문 앞에서 먹보가 물었다.

"먹보, 네가 해."

"실타래, 나 너무 떨려."

"그럼 내가 할게. 어쨌든 누군가는 해야 하잖아."

나는 주저 없이 초인종을 눌렀다. 이네스 엄마가 문을 열어 주었다.

이네스의 엄마는 얼굴이 발그레하고 몹시 다정한 아줌

마였다. 우리는 아줌마를 시장에서 만난 적이 있었다. 시장에서 생선을 팔았는데 가끔 이네스가 엄마를 도우러 갔고, 우리가 그곳을 지날 때면 이네스를 보기 위해 들르곤 했다.

"웬일들이니?"

이네스 엄마가 미소를 지으며 말했다.

"이네스 있어요? 아주 중요한 경기가 있어요. 축구 결승전이에요. 이네스가 없으면 시합을 할 수가 없어요."

토마토같이 얼굴이 빨개진 먹보가 숨도 쉬지 않고 단숨에 말해 버렸다.

이네스의 엄마는 눈살을 찌푸렸으나 이내 다시 미소를 지었다.

"어머나, 미안해서 어쩌니. 이네스가 수학 과목을 낙제하는 바람에 이네스 아빠가 벌을 주셨단다. 그런데 내가 용서를 해 주면 모양새가 좋지 않잖니. 이네스 빼고 너희끼리 해야겠다. 후보 선수 없어?"

"있어요. 그렇지만 이네스만큼 잘하는 선수는 아니에요."

"게다가 인디오도 아파요. 독약을 먹였대요."

먹보가 약간 과장을 했다.

"뭐라고? 독약을 먹여? 누가? 왜?"

"아니, 아니, 놀라지 마세요, 아줌마. 이제 괜찮아졌어요."

내가 아줌마를 진정시켰다.

"그런데 오늘은 못해요. 이네스도 없고 인디오도 없고……."

"정말 미안하구나! 하지만 나도 어쩔 수가 없단다. 내가 이네스를 용서해 주면 이네스 아빠가 펄펄 뛰실 거야."

이네스의 엄마는 두 손으로 머리를 감싸며 말했다.

우리가 이네스의 엄마와 이런 대화를 나누고 있는 동안, 카멜레온은 자신의 계획을 실행에 옮기기 시작했다.

남의 눈에 띄지 않는 능력과 그 변장술로 들키지 않은 채 이네스 엄마의 뒤로 살그머니 빠져나갔다. 그러곤 집안으로 들어가 이네스를 찾기 시작했다.

처음에는 거실의 안락의자에 앉아 신문을 읽고 있는 할아버지 앞을 지나갔다. 노인은 카멜레온이 카펫에 발이 걸려 고꾸라질 뻔하면서 작은 테이블에 있던 조그마한 액자를 넘어뜨렸는데도 고개조차 들지 않았다.

그 다음 열려 있던 부엌문으로 들어갔다. 바로 그 순간 이네스의 할머니가 부엌에서 나오면서 하마터면 카멜레온과 부딪칠 뻔했다. 카멜레온은 너무 놀라 까무러칠 뻔했다. 하지만 할머니는 손에 들고 있던 식탁보를 향해 무어라 중얼거리고 있었기 때문에 이리저리 몸을 움직여야 했음에도 그를 보지 못했다.

카멜레온은 이번에는 계단에서 이네스의 언니와 마주쳤다. 이네스의 언니는 그에게 길을 피해 주기 위해 옆으로 물러섰지만, 표지에 브래드 피트 사진이 실린 잡지책을 읽으며 계단을 내려갔을 뿐, 카멜레온과 마주친 것을 조금도 이상하게 여기지 않았다. 사실 그녀에겐 이네스의 친구인 우리들이 하나같이 투명인간이나 다름없었다. 그녀의 눈에 들어오지 않기는 이네스도 마찬가지였다.

그렇게 해서 카멜레온은 우리의 친구인 이네스의 방까지 무사히 도착했다. 그는 방문을 두드렸다.

"제발 내버려둬! 외출할 수 없다면 아무 하고도 말하고 싶지 않아. 보고 싶지도 않단 말이야!"

이네스는 정말 화가 많이 나 있는 것 같았다.

"이네스! 이네스! 나야, 카멜레온. 제발 문 열어!"

잠시 후 이네스가 카멜레온에게 문을 열어 주었다. 얼마나 울었는지 이네스의 눈은 빨갛게 충혈된 채 퉁퉁 부어 있었다.

"네가 웬일이니? 난 외출 금지야. 어쨌든 어서 들어와."

그제야 안으로 들어간 카멜레온이 이네스에게 우리들의 계획을 말해 주었다.

"네가 없으면 안 돼, 이네스. 인디오도 아파서 시합에 못 와. 그런데 너까지 안 오면, 우린 질게 뻔해."

"그래도 못 가!"

이네스는 안타까워했지만 어쩔 수 없었다.

"보다시피 이렇게 벌받고 있잖아."

"갈 수 있어. 몇 시간만 도망가면 돼. 우리가 도와 줄게. 네가 맘먹기에 달렸어."

카멜레온은 자신의 계획을 설명해 주었다.

우선 방안에 음악을 틀어놓는다. 이네스는 음악을 틀어 놓고 공부를 한다는 말을 여러 번 했다. 그런 다음 아무도 들어오지 못하게 빗장을 질러 방문을 안에서 잠근다.

"지금까진 계획대로 착착 진행됐는데, 방에서 어떻게 빠져나가? 더구나 방문을 잠가 놓고 말이야?"

그날 아침 이네스는 정말로 기분이 별로였다.

"걱정 마. 다 생각이 있어."

바로 그 순간 창문을 두드리는 소리가 들렸다. 누군가 아주 조심스럽게 두드리는 소리였다. 카멜레온이 망사 커튼을 젖히자 다람쥐의 모습이 보였다. 그는 창틀까지 기어 올라와 있었다.

"너는 보통 사람들처럼 계단으로는 올라올 수는 없는 거니?"

이네스가 톡 쏘면서 말했다.

하지만 다람쥐는 신경쓰지 않았다.

"너도 창문으로 내려와야 해. 할 수 있겠어? 혹시 몰라서 밧줄을 가져왔어."

"물론 할 수 있지. 그런데 싫어. 니네들 계획은 유치해. 들켜서 여름 내내 갇혀 있으면 어쩌라고."

"이네스. 네가 없으면 안 돼. 우릴 버리지 마. 한 시간 삼십 분이면 돼. 너희 부모님들은 들어오시지도 않으실 거야."

카멜레온이 애원을 했다.

"우리 엄마가 문을 두드리시는데 내가 문을 안 열면?"

"음악을 켜 놓고 잠이 든 줄 아시겠지."

"경기가 끝나고 다시 들어올 때는 어떻게 들어오는데?"

그건 카멜레온이 아직 생각하지 못했던 부분이었다.

"그건 걱정하지마. 좋은 생각이 떠오를 거야."

마침내 카멜레온과 다람쥐는 이네스를 설득할 수 있었다. 이네스는 벽에 매달려 있는 파이프를 타고 내려왔다. 다람쥐는 이네스가 내려간 뒤 문을 잘 잠근 다음 뒤쫓아 내려왔다. 카멜레온은 방에서 나와 들어왔던 곳으로 다시 나왔다. 즉 현관문을 통해서 말이다.

또다시 할머니와 마주쳤다. 이번에는 빨랫줄에서 방금 건 이불보에게 말을 하고 있었다. 신문을 들고 화장실로 들어가는 할아버지와도 마주쳤다. 파키토와 휴대폰으로 통화를 하는 이네스의 언니와도 계단에서 또 마주쳤다. 그리고 현관에서 아무 눈치도 못 채는 이네스의 엄마 뒤를 돌아나왔다. 나머지 우리들은 이네스의 엄마를 붙잡고 있었는데 시간이 늦어지는 바람에 초조해지고 있었다. 이네스의 엄마가 이 얘기 저 얘기 말을 많이 하면서 마냥 시간을 끈 것이 천만다행이었다.

"아줌마, 이제 저희는 그만 가 볼게요."

카멜레온이 모두 끝났다는 신호를 보내자 내가 도중에

서 말을 끊었다.

"나중에 이네스를 다시 보러 와도 될까요?"

아줌마가 미소를 지었다.

"그래, 시합 결과를 이네스에게 말해 주면 되겠네. 어쨌든 이네스는 외출 금지니까. 행운을 빈다!"

19

축구 경기는 시작부터 불리했다. 더 이상 나쁠 수도 없었다. 인디오가 나타나지 않는 것으로 미루어 그렇게 많은 약초를 먹었음에도 아직 낫지 않은 모양이었다. 우리 할머니와 인디오의 할아버지 말이 옳았다. 설사는 할 만큼 해야 낫는다는 것.

시작하고 몇 분도 되지 않아 우리는 첫 골을 먹었다. 5학년들은 승리감에 도취되었다. 인디오가 오지 않는다는 것을 알자 그들은 의기양양해 하며 사기가 하늘을 찔렀다. 우리는 실제로 승리를 포기한 상태였다. 의기충천했던 우리의 목표는 지나치게 많은 골을 먹지 않게 노력하는 것으로 전락했다. 그러니까 최소한 자존심은 지키자로 작전이 변

경된 것이다.

전반전은 최악이었다. 우리는 또 한 골을 먹었고, 상대 팀 골문 근처에는 가까이 가 보지도 못했다.

전반전이 끝나고 휴식시간이 되자 이네스는 너무 많이 우울해 했다.

"이러자고 내가 집에서 도망을 나오다니!"

그러자 먹보가 이네스에게 다가와 말했다.

"인디오가 뛰지 않은 게임에서 우리가 이겼던 거 기억 나?"

"당연히 기억나지."

"그땐 인디오가 없어서 골문까지 길을 열어 준 사람도 없었어. 그런데도 두 번이나 골을 넣었잖아. 그날은 인디오 처럼 지그재그로 잘도 피해가더니. 너도 충분히 그렇게 해 서 상대팀을 따돌릴 수 있다니까. 그땐 이길 필요가 없었기 때문에 네가 아주 편하게 경기를 잘 했는데."

그러자 나도 인디오가 했던 말이 생각났다.

"인디오가 늘 하던 말 기억나? 늘 잘해야 한다는 생각을 하지 말라는 거? 그런 생각을 하면, 게임이 잘 안 풀려. 인 디오가 발이 저절로 움직이게 하라고 했잖아. 혼자서 하게 하라고 말이야. 기억나?"

이네스는 생각이 났지만 우리의 충고에도 별로 위로를
받지 못했다.

"좋아, 이네스, 걱정하지 마. 어쨌든 게임은 진거나 다름
없으니까 재미있게 즐기기나 하자."

휴식 시간이 끝이 났다. 심판이 두 팀을 축구장 한 가운
데로 불러내 다시 경기를 시작했다. 하지만 후반전은 전혀
다른 경기가 펼쳐졌다. 어쩌면 우리가 지고 있었기 때문에
긴장감이 사라졌는지도 모른다. 어차피 이기는 것이 불가
능한 마당에 무엇 때문에 걱정을 하겠는가? 5학년 선수들
은 승리감을 맛보기 시작했다. 벌써 우승팀이라고 생각했
으며 이는 경기를 소홀히 하게 만들었다. 지나치게 자신감
에 넘쳐 경기를 시작하고 있었다. 전반전처럼 집요하지도
않았고 반칙도 하지 않았다.

그리고 이제 가망이 없어 보일 무렵, 아무리 해도 우리
가 승리할 가망이 없어 보일 무렵 이네스가 반격을 가하기
시작했다.

먹보가 한 말 때문인지, 아니면 한 학기 동안 자신도 모
르게 인디오의 동작을 익힌 때문인지 그 이유는 알 수가 없

었다. 어쨌든 이네스는 느닷없이 더 이상 생각을 하지 않고 (이건 나중에 이네스가 얘기해 준 사실이지만) 기계처럼 움직이기 시작했다.

그녀의 발은 저절로 움직였고, 더 이상 뒤에 누가 오는지 앞에서 누구를 따돌려야 하는지 신경을 쓰지 않았다. 그녀의 발은 자신이 해야 할 일을 정확히 알고 있었다. 자신도 모르게 그것을 배운 것이다! 이네스가 하는 일은 오직 어떻게 발을 움직여야 하는지를 생각하지 않는 것이었다. 그리고 인디오처럼 공을 발에 낀 채 지그재그로 움직이기 시작했다. 물론 인디오처럼 그렇게 능숙하진 않았지만 전보다는 훨씬 나아져 있었다.

이제 상대팀 골문을 향해 아슬아슬하게 다가가고 있었다. 5학년 선수들은 그것을 미처 예상하지 못한 게 분명했다. 자기네 구역을 방어조차 하지 않고 있었기 때문이다. 그리고 이네스가 다가가 슛을 날리자, 공은 곧장 골문으로 들어갔고, 터미네이터는 입을 다물지 못했다. 운동장 계단에 앉아 경기를 지켜보던 사람들은 박수를 치며 환호성을 질렀다.

"자, 백발, 너의 모든 것을 보여줘!"

관중석에서 누군가가 소리쳤다.

히메네스 할머니들 역시 경기를 보러 왔고, 다른 노인정 회원들도 데리고 왔다. 이 경기가 우리에게 중요하다는 것을 알고 있었기 때문에 우리의 사기를 북돋아 주기 위해 현수막까지 준비했다. 현수막에는 이렇게 적혀 있었다.

'이기건 지건 4학년 파이팅!'

할머니들은 현수막을 흔들었고, 친구들과 함께 고함을 질렀다.

"파이팅, 파이팅, 이겨라 4학년!"

물론 히메네스 할머니들과 그 친구들은 우리 자신보다 우리를 더 믿고 있었다.

이네스는 두 번이나 더 골문에 가까이 다가가 관중들을 흥분시켰다. 그 중에서 한 번은 빗나가고 한 번은 골로 이어져, 드디어 동점이 되었다.

후반전이었으므로 심판은 승부차기로 승부를 가리기로 결정했다. 그건 우리에게 몹시 유리했다. 이네스는 훌륭한 골잡이였기 때문이다! 그래서 별명이 백발이 아닌가! 슛을 날리는 멋진 동작과 발이 백 개나 되는 듯한 그 힘으로 말이다!

이제 경기는 이긴 거나 다름없었다. 이네스는 패널티 2개를 넣었고, 5학년 팀은 겨우 한 개를 넣었다.

마치 꿈만 같았다. 인디오가 없이도 우리가 이긴 것이다! 우리 모두는 이네스를 안기 위해 그녀에게 뛰어갔다. 이네스는 벙어리가 된 것 같았다. 그때까지 결과를 믿지 못하고 있었다. 이네스가, 이네스가 혼자서 골문까지 간 것이다! 지그재그로 상대팀을 따돌리는 법을 배운 것이다! 그토록 자신 없어 하던 이네스가!

우리 모두가 친구들과 부모님들의 축하를 받으며 너무도 즐거워하고 있을 때, 사람들 틈에서 이네스를 부르는 소리가 들렸다. 우리는 하나같이 놀라 뒤를 돌아보았다. 그게 누구의 목소리인지 정확히 알고 있었기 때문이다. 그 목소리의 주인공은 다름 아닌 이네스의 아빠! 이네스의 아빠는 후반전부터 경기를 지켜보고 있었다. 우리는 생각지도 못한 상황이라 그만 놀라고 말았다. 가여운 이네스! 이제는 벌을 피할 도리가 없었다.

이네스의 몸은 얼어붙어 있었다. 게다가 얼굴은 백짓장같이 하얗게 변해 있었다. 이네스가 움직이지 않자, 그녀의 아빠가 그녀 쪽으로 다가갔다. 우리 모두는 이네스를 즉시 집으로 돌려보내 이제 여름 내내 외출 금지를 시키겠구나 하는 생각을 했다. 가엾은 이네스!

하지만 그런 일은 일어나지 않았다.

이네스의 아빠는 자기 딸이 해낸 경기에 너무나도 감동한 나머지 이네스를 인형처럼 번쩍 들어올렸다. 그리고 껄껄 웃으며 공중에서 이네스를 두 번이나 돌렸다.

"이게 내 딸이라니! 축구는 그렇게 하는 거야!"

"죄송해요, 아빠. 애들을 그냥 내버려둘 수는 없었어요."

"그래, 그건 나중에 얘기하자. 지금은 이 위대한 승리를 축하해야지."

탈의실에서 옷을 갈아입은 뒤 우리는 이네스의 아빠, 우리들의 아빠, 히메네스 할머니들과 그리고 히메네스 할머니들이 데리고 온 노인정 회원들과 함께 음료수를 마시기 위해 동네 가게로 몰려갔다. 노인들은 우리가 친손자나 되는 양 진심으로 기뻐했다. 우리가 가는 곳마다 휘파람 소리와 트럼펫 소리가 그치지 않았다. 우리 팀이 아주 중요한 팀이라도 되는 양!

20

마침내 여름 학기가 끝났다. 우리 모두는 대충 시험을 통과했다. 물론 이네스는 수학 과목이 남긴 했다. 수학을 가장 어려워했던 인디오 역시 수학 시험을 통과했지만 국어는 낙제를 했다. 로시티스 선생님은 여름 방학에 하루도 빠짐없이 글씨를 더 빨리 쓸 수 있도록 숙제를 내 주었다. 이네스는 9월에 제출해야 할 지겨운 숙제를 내 주었다. 카멜레온은 한 과목도 낙제를 하지 않았다. 이제 자신의 머리에 자신감을 갖고 성적까지 좋아진 것이다!

이제 방학이 시작되었으니 밖에서 실컷 놀 수가 있었다. 우리는 해변으로 내려가거나 들이나 벼랑으로 소풍을 가기도 했다. 물고기를 잡고, 모래사장에 성을 쌓기도 하고,

라켓이나 공으로 게임을 하기도 했다. 우리 아빠와 배를 타고 바다로 나가기도 했다. 방학은 이 세상에서 가장 훌륭한 제도였다.

산후안(성 요한을 기리는 스페인의 축제—역주) 축제일이 되었다. 산후안 축제일 밤은 일 년 중 밤이 가장 짧은 날이다. 해변에는 모닥불을 지피고, 모닥불 주위에서 춤을 추며 어른들은 불 위로 건너뛰기도 한다. 그런 다음 축제는 가짜로 만든 불로 끝이 난다. 정말 재미있는 날이다! 하지만 무엇보다 재미있는 것은 그날 밤 해변에서 잠을 자기로 한 것이다.

이네스의 아빠와 카멜레온의 아빠는 낚시를 좋아한다. 산후안 축제일 밤에 축제가 끝나면 두 분은 벼랑으로 낚시를 하러 갈 것이다. 우리는 물론 해변에 남아 있겠다고 했다. 그래서 수건과 슬리핑백을 준비했다.

축제가 끝나자, 사람들은 마지막 모닥불을 끄고 하나둘씩 집을 향해 흩어져 갔다. 우리는 비명을 지르고 깔깔대면서 마른 모래 위에 잠자리를 준비하기 시작했다.

"오늘밤에 파도가 어디까지 밀려올까?"

인디오가 물었다.

슬리핑백은 기슭에서 떨어진 곳에 두어야 했다. 그날 밤에 파도가 밀려오면 바닷물이 해변을 덮쳐올 것이기 때문이다. 잠을 자다가 물에 젖는 건 정말 상상하기도 싫은 일이다.

이네스와 카멜레온의 아빠는 바위 위 가장 좋아하는 곳에 자리를 잡고 그곳에서 바다를 향해 낚싯대를 던졌다. 고기를 한 마리도 잡지 못하는 날이 많았지만 두 분은 조금도 신경쓰지 않았다. 낚시는 바로 그런 것이었다!

우리는 슬리핑백 속으로 들어가 잠시 농담을 주고받다가 조용해지기 시작했다.

"바다 소리를 들어 봐!"

인디오가 말했다.

해변이 아주 조용해져 있었다. 사람들은 모두 떠났다. 그리고 우리 모두는 눈을 감은 채 바다 소리를 들을 수 있었다. 그 거대한 용이 우리 앞에서 숨을 쉬고 있는 소리를.

"너희 나라에서도 산후안 축제를 하니?"

"아니. 거긴 가장 짧은 밤도 없고 가장 긴 밤도 없어. 거긴 일 년 내내 모든 밤이 다 똑같아. 낮도 밤과 똑같아. 낮 12시간에 밤 12시간."

인디오의 나라는 정말 이상한 나라구나, 내가 생각했다. 인디오도 우리나라를 그렇게 여길 것이다.

잠시 후 우리는 벼랑 뒤에서 달이 떠오르는 것을 보았다. 초승달이었다. 하지만 그것이 어째서 인디오의 관심을 사로잡았는지 우리는 그 이유를 몰랐다.

"얘들아, 달 좀 봐!"

"달이 어떤데?"

우리는 평소대로 달을 바라보았다.

"달이 서 있어. 너희들은 안 보이니?"

우리는 이상할 것도 새로울 것도 없었다. 달은 평소처럼 너무나도 평범한 모습이었다. 이 세상 모든 사람들이 달을 그릴 때 그리는 그런 달의 모습이었기 때문이다.

하지만 인디오는 달랐다.

"난 저런 자세를 하고 있는 달은 처음 봐."

"어떤 자세라는 거야? 초승달이 뜰 때처럼 늘 똑같은 데 뭘."

"서 있잖아."

인디오가 말했다.

"서 있다고? 어떤 모양인데 그래?"

인디오는 우리를 조바심 나게 만들고 있었다. 언제나 얘기를 하다 그만두기 때문에 궁금증을 못이긴 우리는 그에게 묻고 또 묻지 않을 수 없었다.

"난 초승달은 언제나 누워 있는 모습을 봐 왔어. 양쪽 꼭지를 위로 향해서 뿔 같은 모양을 하고 있거나, 양쪽 꼭지를 아래로 향해서 다리 모양을 하고 있었어. 보름달일 때를 빼놓고 말이야. 하지만 지금처럼 서 있는 건 처음 봐."

그가 설명을 했다.

나는 과연 달이 누워 있거나 설 수 있을까를 생각했다. 인디오처럼 이상한 아이는 정말 처음 본다. 사물을 볼 때 언제나 우리가 결코 본 적이 없는 시선으로 바라본다.

나는 달을 보고 또 보다가 갑자기 인디오의 말뜻을 깨달았다. 인디오의 나라, 즉 에콰도르는 지구의 한 가운데 있는 나라이기에 달이 지금 우리가 보는 것과 다른 모습을 하고 있을 것이다. 얼마나 재미있는가! 지구의 어느 편에서 달을 보느냐에 따라 달의 모습이 달라질 수 있다는 것은 상상도 못해 본 일이었다. 나는 모든 것이 다 그럴 거라고 생각했다.

인디오는 이번에는 별들을 관찰하기 시작했다. 그는 남

십자가별을 찾고 있었다. 그것은 십자가 모양을 하고 있는 별자리로 남쪽의 위치를 가르쳐 주는 별이다. 하지만 십자가별은 남반구에 있는 나라에서만 보인다. 그건 우리 아빠가 가르쳐 준 것이다.

"여긴 북반구니까 십자가별이 안 보여. 여기선 북두칠성이 보여."

내가 설명했다.

"저기 봐. 저기 있다! 저 별 보여? 북극성 말이야. 북쪽의 위치는 가르쳐 주는 별!"

그러자 인디오는 에콰도르에서는 십자가별과 북두칠성이 다 보인다고 했다. 그렇구나, 에콰도르는 북쪽도 남쪽도 아닌 지구의 중심에 있어서 남쪽과 북쪽의 모든 별이 다 보였다. 그 생각을 미처 못했던 것이다!

잠시 후 나는 가방 속에 들어 있는 내 공책을 떠올렸다. 요즘은 거의 매일 밤마다 흥미로운 사건들을 적고 있었다. 또 영감이 떠오른 것이다. 아니 뮤즈의 여신이 돌아온 것이다. 아니면 먹보의 말대로 잘 먹어서 뇌에 당분이 충분해진 덕분에 생각이 잘 떠오르는지도 몰랐다. 나는 그 공책을 꺼내 달빛의 도움을 받아 이렇게 적었다.

'서 있는 달과 누워 있는 달. 같은 사물도 이 지구의 반대편에서는 다르게 보인다.'

우리는 점점 조용해져 갔다. 거대한 용이 바로 코앞에서 숨쉬는 소리를 들으며 거의 감긴 눈으로 별을 바라보고 있는 동안 솔솔 잠이 밀려왔다.

이번 학기는 정말 특별한 학기였어! 잠을 자면서 나는 생각했다. 인디오가 도착한 이래 모든 것이 바뀌었다. 바람의 마법사! 지구 반대편에서 인디오가 우리의 삶으로 들어와 우리에게 아주 중요한 것들을 가져다주었다. 바다 소리를 듣는 법을 배우고, 바람이 얘기를 할 수 있다는 것을 알게 해 주었다.

카멜레온은 자신의 능력에 대한 자신감을 되찾았다. 다람쥐는 진짜 구조대원이 되었고, 고래를 보았으며, 그린피스 대원들과 함께 했다. 이네스는 혼자서 골문까지 갈 수 있게 되었다. 먹보는 먹는 것 외에 다른 흥미로운 일들을 찾았다. 인디오는 칼로 나무 인형을 만드는 법을 먹보에게 가르쳐 주었다. 이제 얼마나 잘 만드는지 모른다! 그리고 인형을 만드는 동안에는 아무 것도 먹지 않는다! 먹보에게 도저히 일어날 수 없는 일이 일어난 것이다!

그리고 내겐…… 메모가 가득 든 공책이 있다. 인디오는 내 주변에서 흥미로운 것들을 찾아내는 방법을 가르쳐 주었다. 언제나 거기서 날 기다리고 있던 것들을. 전에는 한 번도 눈여겨보지 않았던 것들을. 그가 오기 전까지는.

내게 …… 눈이 감기는 동안 생각했다 …… 인디오는 내게 이 소설을 선물로 주었다 ……

그리고 그 거대한 용은 여전히 고른 숨을 몰아쉬었다 …… 우리의 꿈을 감시하면서 ……

주인공 나 실타래와 그 일당은 먹보, 백발 이네스, 다람 쥐, 카멜레온 이렇게 다섯 명이다. 인디오가 오기 전까지는 말이다.

먹보는 언제나 먹기만 한다. 먹지 않으면 뇌에 영양이 충분하지 않아 생각을 못한다는 것이 먹보의 그럴 듯한 주장이다. 백발 이네스는 축구를 할 때 발이 백 개나 되는 듯한 엄청난 힘으로 슛을 날린다고 해서 백발이다. 헌데 이네스는 골문까지 절대로 혼자 가지 못한다. 아무리 백발이면 뭐하나 골문까지 가질 못하는데. 다람쥐는 어디든 다람쥐처럼 잘 올라간다. 나무에서 벼랑에 이르기까지 그를 막을 장애물은 없다. 하지만 그린피스 대원이 되어 자연을 보호하고 조난자를 구조한다는 그의 꿈은 이룰 길이 없다. 카멜

레온은 카멜레온처럼 변신의 귀재라 카멜레온이다. 그래
서 형사가 되고 싶어하지만 성적이 나빠 그 꿈을 포기한다.
그리고 나, 실타래. 그 어떤 이야기라도 실타래처럼 술술
풀어내서 실타래다. 하지만 이젠 그 소재가 바닥나 더 이상
이야기를 풀어내지 못한다. 소설가가 되고 싶지만 풀어 놓
을 이야기가 없는데 어찌 소설가가 되겠는가.

이들이 이렇게 인생의 쓴맛에 씁쓰레할 때 볼품없게 생
긴 인디오가 등장한다. 녀석은 키가 큰 것도 피부색이 흰
것도 그렇다고 공부를 잘하는 것도 아니다. 하지만 녀석은
마음과 귀와 눈이 활짝 열려 있다. 그래서 사람의 마음을
헤아릴 줄 알고 자연과 호흡할 줄 알며 사물을 어떤 선입견
도 없이 볼 줄 안다. 그리고 보는 각도에 따라 모든 사물의
모습이 달라질 수 있다는 것을 보여준다.

그의 순수한 영혼은 바람과 소통하고 동물과 소통하고
가장 중요한 사람과 소통한다. 그의 열린 마음, 따스한 영
혼은 인간의 고통과 슬픔과 기쁨을 헤아릴 줄 안다. 어딘가
에 갇혀 갑갑해 하는 영혼의 모습을 보고, 그것을 풀어 주
고 싶어한다.

그와 함께 시간을 보내고 함께 작은 모험을 겪은 아이들

은 이제 진정한 자신의 모습을 발견한다. 자신의 영혼의 소리에 귀를 귀울이고 각자 묻어 두었던 보석을 파헤친다. 자신과 주변을 환하게 밝히는 빛나는 보석을…….

그래서 먹보와 백발 이네스, 다람쥐와 카멜레온, 그리고 실타래는 인디오를 통해 꿈을 되찾는다. 아니 꿈을 다시 꿀 수 있는 자신감을 회복한다. 그리고 행복해 한다. 이제 비로소 파도가 치는 밤에는 용의 거친 숨소리를, 파도가 조용한 밤에는 용의 고른 숨소리를 들으며 잠들 수 있다. 바다의 소리와 바람의 소리와 용의 숨소리가 모두 들린다. 모래밭에 빠진 고래의 고통스런 숨소리도 들린다.

우리들 또한 얼마나 갇혀 있는가. 마음에도 영혼에도 또 몸에도 두꺼운 갑옷을 치렁치렁 걸치고 있어 아무 것도 볼 수도 들을 수도 없다. 갑옷이 질질 끌리는 무겁고 둔탁한 소리 때문에 막상 들어야 할 소리를 듣지 못한다. 이 갑옷을 벗어 던지면 우리의 마음과 영혼은 새털처럼 가벼워져 하늘을 훨훨 날 수 있을 텐데 말이다.

이제 우리의 인디오를 깨워야 할 때가 되었다.

2006년 12월
유혜경

유혜경

한국 외국어대학교 통역번역 대학원 석사과정을 졸업하고
동 대학원에서 통역번역학 박사과정을 수료했으며,
영국과 스페인에서 수학했다.
현재는 전문 번역가 및 국제회의 통역사로 활동하고 있으며,
대구 가톨릭대학교 국제실무학부 겸임교수로 재직중이다.
주요 역서로는 〈개를 살까 결혼을 할까〉〈해부학자〉
〈너만의 명작을 그려라〉〈위대한 개츠비〉〈쉐클턴의 항해 모험〉
〈엄마는 CEO〉〈블루베어를 찾아서〉〈침대 밑 악어〉
〈내 집을 차지한 이방인〉 등 다수가 있다.

파차마마의 선물

초판인쇄 | 2006년 12월 10일
초판발행 | 2006년 12월 20일

지은이 | 팔로마 산체스
옮긴이 | 유혜경
펴낸이 | 유연화
펴낸곳 | 책씨
출판등록 | 2004년 9월 13일(제313-2004-00211호)

주소 | 121-842 서울시 마포구 서교동 469-5번지 정서빌딩 405호
전화 | (02) 332-1296
팩스 | (02) 332-1231
전자우편 | bookseed@naver.com

ISBN 89-92120-04-4 03870